O czym szumią wierzby

Feniks — symbol siły i nieśmiertelności,
od zawsze patronował temu,
co ważne i ponadczasowe,
co wciąż się odradza.
W serii „Klasyka z feniksem" pragniemy zaprezentować kolekcję książek, które mimo zmieniających się mód nieustannie bawią i zachwycają rzesze czytelników.
„Klasyka z feniksem" to po prostu dobra literatura.

Kenneth Grahame

O czym
szumią wierzby

Ilustrowała Kinga Paździurkiewicz

Wydawnictwo Skrzat
Kraków 2010

Tytuł oryginału: *Wind in the Willows*
Tłumaczenie: Maria Godlewska
Redakcja: Anna Grzesik
Korekta: Agnieszka Sabak
Ilustracje: Kinga Paździurkiewicz
Skład, łamanie, projekt okładki: Aleksandra Kowal

ISBN 978-83-7437-555-9

Księgarnia Wydawnictwo Skrzat Stanisław Porębski
31-202 Kraków, ul. Prądnicka 77
tel. (12) 414 28 51
wydawnictwo@skrzat.com.pl

Odwiedź naszą księgarnię internetową:
www.skrzat.com.pl

Nad brzegiem rzeki

Kret pracował zawzięcie przez cały ranek, robił wiosenne porządki w swoim mieszkaniu. Najpierw zamiatał, potem odkurzał, a później tak długo wspinał się z kubłem farby i pędzlem na drabinę, na schodki i na krzesła, aż mu kurz zasypał oczy i gardło, czarne futerko pełne było białych plam od wapna, plecy go bolały, a ramiona opadały ze zmęczenia. Wiosenny ruch panował tam na górze i w ziemi otaczającej Kreta; cudowny duch niepokoju i tęsknoty przenikał nawet do jego ciemnego, niskiego domku. Nic też dziwnego, że rzucił nagle pędzel i wykrzyknął:

– Nudziarstwo! A niech tam! Pal licho wiosenne porządki! – po czym wybiegł z domu, zapominając nawet wziąć palto.

Tam w górze coś wzywało go natarczywie, zaczął więc torować sobie drogę ku stromemu ciasnemu tunelowi – w krecich posiadłościach taki tunel zastępuje żwirowany podjazd prowadzący do domów zwierząt, które zamieszkują bliżej powietrza i słońca – kopał więc i skrobał, i drapał, a potem znów drapał i skrobał, i kopał. Pracował pilnie małymi łapkami i mruczał do siebie: – W górę! Wyżej! – aż nareszcie

pop! i ryjek wydostał się na słoneczko, a Kret zaczął się turlać po ciepłej trawie rozległej łąki.

– Ładnie tu – rzekł do siebie – lepsze to od bielenia ścian!

Słońce nagrzewało silnie futerko, łagodny powiew pieścił rozpalony łebek, a po piwnicznym odosobnieniu, w którym Kret tak długo przebywał, śpiew szczęśliwych ptaków zdawał się prawie krzykiem dla jego uszu. Zerwał się na równe łapki; ogarnęła go radość życia i rozkosz wiosny bez obowiązku robienia wiosennych porządków, podreptał więc aż do płotu po drugiej stronie łąki.

– Stój! – krzyknął stary Królik, który strzegł dziury w płocie. – Sześć pensów za przejście, to droga prywatna!

Zniecierpliwiony Kret zlekceważył żądanie królika, w jednej chwili powalił go na ziemię i pobiegł dalej wzdłuż płotu. Po drodze zaczepiał króliki, które wychylały się spiesznie z nor, chcąc zobaczyć, co to za awantura.

– Zjem was w cebulowym sosie! – przekomarzał się Kret i znikł, nim króliki obmyśliły, co mają mu odpowiedzieć.

Zaczęły wówczas wszystkie naraz robić sobie nawzajem wymówki:

– Jakiś ty głupi! Dlaczego mu nie powiedziałeś?...

– Dobre sobie. A dlaczego ty nie powiedziałeś?...

– Trzeba mu było przypomnieć... – i tak dalej, ot, jak zawsze. Zresztą było już oczywiście poniewczasie, jest to zwykła kolej rzeczy.

Świat wokół Kreta był tak piękny, że wydawał się aż nieprawdziwy. Kret wałęsał się to tu, to tam, po łąkach, wzdłuż żywopłotów, po zagajnikach; wszędzie widział ptaki budujące gniazdka, kwiaty w pączkach, rozwijające się liście – radość, postęp i pracę. Sumienie wcale go nie dręczyło, nie szeptało: „A kto pobieli ściany?". Bardzo mu było przyjemnie, że on jeden próżnuje wśród tylu pracowitych obywateli. Bo właściwie najmilszą stroną wolnego czasu nie jest to, że się odpoczywa, ale że się widzi, jak pracują inni.

Radość Kreta doszła do szczytu, kiedy w swojej bezcelowej wędrówce stanął nagle na brzegu rzeki. Nigdy w życiu rzeki nie widział. Cóż to za jakieś śliskie, wijące się, opasłe zwierzę, które pędzi i bulgoce, chwyta z chichotem różne przedmioty, porzuca je, śmiejąc się, napada po drodze na nowych towarzyszy zabaw, a zaledwie zdołają się wymknąć, już ich znowu goni i chwyta. Same iskry, błyski i promienie; wszystko migoce i drga; szmery, wiry, szepty, bańki mydlane! Kret był wniebowzięty, zachwycony; mknął brzegiem rzeki, jak małe dziecko biegnie obok człowieka, który oczarował je ciekawą bajką. Gdy się zmęczył, usiadł na brzegu, a rzeka wciąż z nim gwarzyła.

W szemraniu wody słychać było pochód najpiękniejszych bajek świata; przesyła je serce ziemi dalekiemu, nienasyconemu morzu.

Kret siedział w trawie i patrzył na przeciwległy brzeg; wtem zauważył ciemną norę tuż nad poziomem wody. Jakie to rozkoszne i zaciszne miejsce dla zwierzęcia o skromnych wymaganiach, które pragnęłoby zamieszkać w maleńkiej nadbrzeżnej willi, z dala od kurzu i hałasu. Kret patrzył, snując marzenia. Raptem w samym środku nory mrugnęło coś małego i jasnego, znikło i znów mrugnęło jak maleńka gwiazdka. Gwiazdki jednak nie pojawiają się w tak dziwnych miejscach, a na robaczka świętojańskiego było za małe, przy tym za jasno błyszczało. Gdy się w to bacznie wpatrywał, gwiazdka mrugnęła porozumiewawczo i okazało się, że to było oko. A stopniowo zarysował się koło oka mały pyszczek, niby ramka wokół obrazu.

Brązowy, wąsaty pyszczek, poważny i okrągły, z tym samym błyskiem w oku, który zwrócił uwagę Kreta.

Malutkie zgrabne uszka i gęste jedwabiste włosy. Był to Szczur Wodny!

Oba zwierzątka przyglądały się sobie nieufnie.

– Jak się masz, Krecie! – powiedział Szczur Wodny.

– Jak się masz, Szczurze! – powiedział Kret.

– Chciałbyś może przeprawić się na tę stronę? – spytał po chwili Szczur Wodny.

– Łatwo to powiedzieć – rzekł Kret nieco gniewnie, bo nie znał rzeki, nadbrzeżnego życia i panujących tam zwyczajów.

Szczur nic nie odrzekł, pochylił się tylko, odwiązał jakiś sznur, pociągnął, a potem wskoczył lekko do łódeczki, której Kret nie zauważył. Łódka była pomalowana z wierzchu na zielono, a w środku na biało i mogła pomieścić dwa zwierzątka. Od razu zyskała sobie serce Kreta, choć jeszcze nie rozumiał dobrze, jaki z niej będzie miał pożytek.

Szczur szybko i zgrabnie przeprawił się na drugą stronę, a gdy Kret lękliwie zstępował w dół, wyciągnął do niego przednią łapkę

– Oprzyj się! – zawołał. – Dalej, śmiało!

I Kret, ku swojemu zdumieniu i radości zasiadł, przy sterze prawdziwej łódki.

– Nadzwyczajny dziś dzień dla mnie! – rzekł, kiedy Szczur odepchnął czółno i zabrał się do wioseł. – Czy wiesz, że ja przez całe życie ani razu nie płynąłem łódką?

– Co ty mówisz?! – wykrzyknął Szczur i rozdziawił pyszczek – Ani razu nie... nigdy?... Ja... W takim razie cóżeś robił?

– Więc to aż taka przyjemność? – spytał nieśmiało Kret. Ale od razu uwierzył w tę przyjemność, kiedy rozparł się na siedzeniu, spojrzał na poduszki, wiosła, dulki, całe urządzenie i poczuł pod sobą lekkie kołysanie czółna.

– Przyjemność? Nie ma nic rozkoszniejszego – stwierdził uroczyście Szczur Wodny, pochylając się do przodu, aby nabrać rozmachu. – Wierz mi, młody przyjacielu, nie ma nic, naprawdę nic, co dałoby się porównać ze zwyczajną włóczęgą łodzią. Po prostu płynąć – ciągnął dalej rozmarzony – płynąć... łodzią... płynąć...

– Uważaj, Szczurku! – zawołał nagle Kret.

Ale było już za późno. Łódź całą siłą uderzyła o brzeg. Marzyciel, wesoły wioślarz, leżał na plecach łapkami do góry na dnie czółna.

– Płynąć łodzią... lub choćby w niej siedzieć – ciągnął dalej spokojnie z miłym uśmiechem. – Płynąć łodzią albo obok niej, wszystko jedno. Doprawdy, nic nas wówczas nie obchodzi i to właśnie stanowi cały urok. Czy wyruszysz w drogę, czy nie wyruszysz, czy dotrzesz do miejsca przeznaczenia, czy całkiem gdzie indziej, czy może nigdzie w ogóle nie dojedziesz, wciąż jesteś zajęty, chociaż nie robisz nic określonego. A kiedy skończysz swoją pracę, znajdzie się inne zajęcie, możesz się do niego zabrać, jeśli chcesz, ale lepiej nic nie robić. Wiesz co? Jeżeli naprawdę nie masz na dziś innych planów, może byśmy popłynęli w dół rzeki na cały długi dzień?

Kret zamachał radośnie łapkami, westchnął z zadowoleniem całą piersią i rozparł się wygodnie na miękkich poduszkach.

– Cóż to za nadzwyczajny dzień dla mnie! – wykrzyknął. – Płyńmy natychmiast!

– Proszę o trochę cierpliwości – rzekł Szczur.

Przywiązał linkę od łódki do żelaznego kółka na przystani, podreptał aż do swojej nory i po krótkiej chwili ukazał się zgięty pod ciężarem dużego wiklinowego kosza z prowiantem.

– Wsuń to pod nogi – powiedział do Kreta, podając mu kosz. Po czym odwiązał linkę i wziął się do wioseł.

– A co tam jest w środku? – spytał Kret, który skręcał się z ciekawości.

– Jest kurczę na zimno – zaczął wyliczać Szczur – ozór na zimno, szynka, pieczeń na zimno, marynowane korniszony, paszteciki, kanapki z rzeżuchą, pasztet, piwo, lemoniada, woda sodowa.

– Dość już, dość! – wołał zachwycony Kret. – Za wiele tego wszystkiego!

– Czy doprawdy tak uważasz? – zapytał Szczur z powagą. – Zabieram zwykle taką właśnie ilość zapasów na krótkie wycieczki, a inne zwierzęta twierdzą, że skąpiradło ze mnie i że za cienko wszystko kroję.

Kret nie słyszał już ani słowa. Był pochłonięty nowym życiem, w które wkraczał, upojony blaskiem, ruchem fal,

zapachami, szmerami, światłem słońca; zanurzył łapkę w wodzie i śnił sen na jawie.

Szczur Wodny, dobry kolega, wiosłował pilnie i nie przeszkadzał towarzyszowi.

– Bardzo mi się podoba twój ubiór – zauważył po upływie mniej więcej pół godziny. – Jak tylko będę miał pieniądze, kupię sobie także czarną, aksamitną bonżurkę.

– Przepraszam cię – rzekł Kret, opanowując się z wysiłkiem. – Uważasz pewnie, że jestem bardzo źle wychowany; ale to wszystko jest dla mnie zupełną nowością. Więc... to... jest... rzeka?

– To jest nasza rzeka – jedyna na świecie! – sprostował Szczur.

– I ty naprawdę mieszkasz na jej brzegu? Jakież to musi być rozkoszne życie!

– Na jej brzegu i w niej, i na niej – sprostował znowu Szczur. – Jest mi bratem i siostrą, i ciotką, i towarzyszem, i pokarmem, i napojem, i – oczywiście – kąpielą. To mój cały świat, innego nie chcę. Nie warto mieć tego, co nie pochodzi z rzeki, i nie warto wiedzieć tego, o czym ona nie wie. Miły Boże, czegośmy to razem nie przeżywali! Zimą czy latem, wiosną czy jesienią rzeka jest zawsze ciekawa i przyjemna. W lutym, podczas powodzi, napój, którego nie używam, pieni się w piwnicach i suterenach, brązowa woda dochodzi do okna mego najpiękniejszego sypialnego pokoju, a znów gdy wody spłyną, pokazują się mielizny, pachnące plackiem z rodzynkami, a kanały zarastają wodorostami i trzciną. Wówczas mogę suchą łapką przemierzyć prawie całe łożysko; wyszukuję świeże pożywienie i przedmioty, które niedbali ludzie wyrzucają z łodzi.

– Czy nie jest ci czasem trochę nudno? – odważył się spytać Kret. – Tylko ty i rzeka, nie masz nikogo, do kogo byś mógł słowo przemówić.

– Nikogo, do kogo by… No, nie biorę ci tego za złe – odparł cierpliwie Szczur. – Dopiero co tu przybyłeś i oczywiście o niczym nie masz pojęcia. Brzeg rzeki jest teraz tak zaludniony, że wiele zwierząt się stąd wyprowadza. To już nie to, co dawniej. Wydry, zimorodki, nury, kurki wodne – to wszystko włóczy się po całych dniach, a zawsze chcą, żeby coś dla nich zrobić, jakby każdy z nas nie miał własnej pracy, którą musi się zająć.

– A co jest tam? – spytał Kret i machnął łapką w stronę zadrzewionej dali, która tworzyła jakby ciemną ramę, otaczającą nadbrzeżne łąki na jednym z brzegów rzeki.

– Tamto? Ach, to po prostu puszcza – odparł krótko Szczur – My, mieszkańcy brzegu, rzadko tam zachodzimy.

– A czy tam… czy tamtejsi mieszkańcy nie są przyjemni? – spytał Kret, lekko zaniepokojony.

– N-n-n-o – odrzekł Szczur – poczekaj, niech się zastanowię. Wiewiórki są miłe. A także Króliki – niektóre, bo to dość mieszane towarzystwo. Jest też i Borsuk. Mieszka w samym środku puszczy; za żadne skarby nie zamieszkałby gdzie indziej. Kochany, stary Borsuk. Jego nikt nie zaczepi. Napastnik miałby się z pyszna – dodał znacząco.

– A kto by go mógł zaczepić? – spytał Kret.

– No… w puszczy mieszkają rozmaite zwierzęta – wyjaśnił Szczur z wahaniem. – Łasice… i lisy… i tak dalej, pod pewnym względem są to porządne stworzenia – ja z nimi żyję w przyjaźni… kiedy się spotkamy… Ale czasem zaczynają brykać, przyznaję, a wówczas... cóż, nie można im zaufać, to fakt.

Kret dobrze wiedział, że wszelkie przejmowanie się przyszłymi kłopotami, a nawet wspominanie o nich sprzeciwia się etykiecie obowiązującej wśród zwierząt, więc nie podnosił tej sprawy.

– A co się znajduje za puszczą? – spytał. – Tam gdzie jest niebiesko i mglisto i widać wzgórza, które może wcale nie są wzgórzami, a także coś podobnego do miejskich dymów, ale może to po prostu obłoki?

– Za puszczą leży szeroki świat – odparł Szczur. – A to jest coś, co nie obchodzi ani ciebie, ani mnie. Nigdy tam nie byłem i nigdy nie będę, i ty tam także nie będziesz, o ile masz trochę rozsądku. Proszę cię, nie wspominaj mi o tym. Otóż i łacha. Nareszcie. Zjemy tu sobie drugie śniadanie.

Skręcili w bok od głównego łożyska rzeki i wpłynęli na coś, co na pierwszy rzut oka wyglądało jak małe jeziorko. Zielona murawa schodziła aż nad brzeg łachy; brązowe korzenie podobne do wężów błyszczały na dnie cichej wody; powyżej szumiało srebrzyste ramię rzeki; spieniony wodospad śluzy wraz z pracowitym, ociekającym wodą młyńskim kołem, które podpierało szary gadatliwy młyn, wypełniały powietrze kojącym szmerem dźwięków, głuchym i przytłumionym. Na tle tego szumu odzywały się od czasu do czasu wyraźnie wesołe głosiki. A wszystko razem było tak piękne, że Kret podniósł w górę przednie łapki i westchnął:

– Ach! Aach! Aaach!

Szczur doprowadził łódkę do brzegu, umocował ją. Pomógł niezgrabnie jeszcze gramolącemu się Kretowi wyjść na ląd i wydobył kosz ze śniadaniem. Kret poprosił jak o łaskę, aby wolno mu było rozpakować zapasy. Szczur przystał na to z radością, a sam wyciągnął się jak długi na trawie i wypoczywał, podczas gdy jego podniecony przyjaciel strzepywał i rozpościerał obrus, wyjmował kolejno tajemnicze paczki i nakładał porządnie ich zawartość, wykrzykując za każdym nowym odkryciem:

– Ach! Ach!

Gdy już wszystko było gotowe, Szczur rzekł:

– A teraz, mój stary, do roboty.

Kret usłuchał z wielką przyjemnością, wziął się bowiem wczesnym rankiem do wiosennych porządków – tak zresztą jak wszyscy – i nic nie wypił ani nie przekąsił, bo nie chciał przerywać pracy. Przy tym dużo przeżył od tamtej pory i zdawało mu się, że do wiosennych porządków zabrał się przed wiekami.

– Czemu się tak przyglądasz? – spytał Szczur, gdy zaspokoili głód i Kret zdołał oderwać oczy od obrusa.

– Patrzę – odrzekł Kret – na smugę bąbelków, która sunie po powierzchni wody. To mnie zastanawia.

– Bąbelki? Oho! – wykrzyknął Szczur i pisnął radośnie, zachęcająco.

Szeroka lśniąca mordka ukazała się przy samym brzegu i Wydra wygramoliła się na ląd, otrząsając wodę z futra.

– A, łakomczuchy! – zauważyła, kierując się w stronę jedzenia. – Czemu nie zaprosiłeś i mnie, Szczurku?

– Zaimprowizowaliśmy tę wycieczkę zupełnie nagle – tłumaczył się Szczur. – Ale, ale – mój przyjaciel, pan Kret.

– Bardzo mi przyjemnie – powiedziała Wydra i od tej chwili zaczęła się przyjaźń obu zwierzątek.

– Dziś panuje wszędzie szalony ruch – ciągnęła dalej Wydra. – Cały świat wyległ na rzekę. Przypłynęłam tutaj, aby mieć choć chwilę spokoju, i natknęłam się na was, chłopcy. To jest... przepraszam... nie to chciałam powiedzieć... rozumiecie przecież.

Zwierzęta posłyszały z tyłu szelest; dużo zeszłorocznych liści trzymało się jeszcze na żywopłocie, zza którego ukazał się pręgowaty łebek i szerokie bary.

– Chodźże, zacny Borsuku! – wykrzyknął Szczur.

Borsuk postąpił parę kroków i mruknął:

– Hm, takie liczne towarzystwo – zawrócił i znikł.

– To zupełnie do niego podobne – rzekł strapiony Szczur. – On po prostu nie znosi towarzystwa. Już go dziś nie zobaczymy. Powiedz nam, Wydro, kto dziś wyległ na rzekę?

– Przede wszystkim pan Ropuch – odparła Wydra. – Ma nowiutki kajak, nowe ubranie, wszystko nowe.

Szczur spojrzał na Wydrę i oboje się roześmiali.

– Dawniej nie istniało dla niego nic ponad żeglarstwo – rzekł Szczur – potem znudziło mu się to i wziął się do wiosłowania, w zeszłym roku zamieszkał w domku na wodzie; musieliśmy mu wszyscy składać wizyty i udawać, że jesteśmy tym domkiem zachwyceni. Miał tam spędzić resztę życia. Wszystko, do czego się zabiera, nudzi go, wciąż szuka czegoś nowego.

– A to taki zacny chłop – zauważyła Wydra po namyśle – tylko nie umie utrzymać równowagi – szczególnie na łódce.

Z miejsca, gdzie się rozłożyli, widać było ponad wyspą oddzielającą łachę od rzeki kawałek głównego łożyska. W tej właśnie chwili przemknął tamtędy kajak. Wioślarz – niski grubas – pracował w pocie czoła. Uderzał wiosłami o wodę, rozpryskując ją na wszystkie strony, kajak kołysał się gwałtownie. Szczur wstał szybko i zaczął pohukiwać, ale Ropuch – bo to był on – potrząsnął przecząco głową i wiosłował dalej zawzięcie.

– Tylko patrzeć, jak wyleci z kajaka, jeśli się tak będzie dalej kołysał – powiedział Szczur, siadając.

– Oczywiście, że wyleci – zachichotała Wydra. – Czy ja wam kiedy opowiadałam pyszną historię o Ropuchu i dozorcy śluzy? To było tak: Ropuch…

Chrabąszcz-włóczęga leciał niepewnie w górę rzeki jak nieprzytomny; młodziki chrabąszczowego rodu są po prostu pijane, gdy wylecą na świat. Woda zawirowała, rozległ się plusk i chrabąszcz znikł.

Znikła także i Wydra.

Kret spojrzał w dół. Głos Wydry brzmiał mu jeszcze w uszach, lecz nie było jej na murawie, gdzie dopiero co leżała. Jak okiem sięgnąć, ani śladu Wydry.

Po chwili ukazała się znów smuga bąbelków na powierzchni wody.

Szczur nucił jakąś melodię, a Kret przypomniał sobie, że etykieta obowiązująca wśród zwierząt zabrania wypowiadać uwagi o nagłym znikaniu przyjaciół, wszystko jedno w jakiej chwili i z jakiego powodu, a nawet zupełnie bez powodu.

– Ha – rzekł Szczur – trzeba pewno ruszać. Ciekaw jestem, kto z nas powinien zabrać się do pakowania kosza? – Szczur najwidoczniej nie palił się do tej roboty.

– O, proszę cię, pozwól, ja to zrobię! – wykrzyknął Kret i Szczur oczywiście chętnie się zgodził.

Pakowanie nie było tak miłym zajęciem jak rozpakowywanie. Ale tak zwykle bywa. Kret jednak postanowił znajdować zabawę we wszystkim i dokończył pakowania nie tracąc cierpliwości, chociaż po naładowaniu kosza i ściągnięciu go ciasno rzemykiem zobaczył talerz wyglądający z trawy, a kiedy po raz wtóry zamknął kosz, Szczur pokazał mu widelec leżący w miejscu tak widocznym, że każdy powinien był go zauważyć, a wreszcie – patrzcie państwo! – okazało się, że Kret, nic o tym nie wiedząc, siedział na słoiku z musztardą.

Popołudniowe słońce skłaniało się ku zachodowi, gdy Szczur, wiosłując z wolna, kierował łódkę w stronę domu. Był rozmarzony, deklamował po cichu wiersze i niewiele zwracał uwagi na Kreta. Kret porządnie się najadł, był dumny i zadowolony z siebie i zupełnie już oswojony z łodzią – przynajmniej tak mu się zdawało – przy tym niecierpliwił się trochę.

– Szczurku – rzekł po chwili – teraz ja chciałbym powiosłować.

Szczur potrząsnął głową z uśmiechem.

– Jeszcze nie, mój młody przyjacielu – odparł. – Poczekaj, aż weźmiesz kilka lekcji. To nie takie łatwe, jak ci się zdaje.

Kret uspokoił się na parę minut, ale coraz bardziej zazdrościł Szczurowi, który wiosłował silnie i z wielką swobodą. Pycha podszeptywała mu, że potrafi zupełnie tak samo wiosłować, zerwał się więc raptownie, chwycił za wiosła, a Szczur, który patrzył na wodę, mrucząc w dalszym ciągu wiersze, dał się zaskoczyć i po raz drugi przewrócił się na wznak z łapkami do góry. Zwycięski Kret zajął wolne miejsce i pełen ufności wziął się do wioseł.

– Dajże spokój, głupi ośle! – krzyczał Szczur, leżąc na dnie czółna. – Nie potrafisz, wywrócisz nas!

Kret gwałtownie zarzucił w tył wiosła i chciał je z rozmachem zanurzyć w wodzie, ale mu się to całkiem nie udało; nie dotknął powierzchni rzeki, łapki znalazły się powyżej łebka i upadł na leżącego już Szczura. Mocno przerażony, uczepił się burty, a w chwilę potem: Plusk!

Czółno się wywróciło i Kret taplał się w wodzie. O mój Boże! Jakaż ta woda zimna i ach! Jaka strasznie mokra! Śpiewała mu w uszach, gdy leciał w dół, w dół, w dół! Jasne i rozkoszne wydało mu się słońce, kiedy wynurzył się na powierzchnię, kaszląc i prychając, a gdy poczuł, że znowu idzie na dno, ogarnęła go czarna rozpacz. Ale wówczas ktoś chwycił go silną łapą za kark. Był to Szczur, który śmiał się najwyraźniej – Kret czuł, że Szczur się śmieje – śmiech spływał z jego ramienia, wzdłuż łapki na jego – to jest Kreta – kark.

Szczur złapał wiosło i wsunął je pod ramię Kreta, potem zrobił to samo z drugiej strony i płynąc za nim, przyholował do brzegu bezradne zwierzątko, wyciągnął je z wody; usadowił na piasku nędzne, zwiotczałe, rozmokłe maleństwo. A gdy trochę rozmasował Kreta i wycisnął wodę z jego futerka, powiedział:

– Teraz, mój stary, kłusuj tam i na powrót po ścieżce, co tylko masz sił, aż wyschniesz i rozgrzejesz się, a ja tymczasem wypuszczę się na poszukiwanie koszyka śniadaniowego.

Więc nieszczęsny Kret, mokry z wierzchu, a w środku zawstydzony, biegał, dopóki prawie zupełnie nie wysechł, podczas gdy Szczur zanurzył się w wodę, złapał łódź, odwrócił ją i przycumował przy brzegu, a potem stopniowo wyławiał i odnosił na ląd swą zatopioną chudobę. Wreszcie dał nura po koszyk i przyciągnął go ku brzegowi.

Gdy wszystko było znowu gotowe do drogi, Kret zgnębiony i osłabiony zasiadł na swym miejscu przy sterze, a kiedy wyruszyli, odezwał się cichym, przerywanym ze wzruszenia głosem:

– Szczurku, szlachetny przyjacielu. Żałuję bardzo mego niewdzięcznego i głupiego postępowania. Serce zamiera we mnie na myśl, że z mojej winy mógł zginąć ten piękny kosz do śniadania. Zachowałem się jak osioł – wiem o tym. Przebacz mi ten jeden jedyny raz i pozwól, abyśmy nadal pozostali przyjaciółmi.

– Dobrze już, dobrze, Bóg z tobą! – odparł wesoło Szczur. – Cóż znaczy trochę wilgoci dla Szczura Wodnego. Przebywam więcej w wodzie niż poza nią. Zapomnij o tym i wiesz co? Zdaje mi się, że dobrze zrobisz, jeśli u mnie czas jakiś zabawisz. Mieszkam bardzo skromnie, nie będziesz miał wielkich wygód – nie to, co we dworze Ropucha – o nie. Ale jeszcze u niego nie byłeś. A ostatecznie mogę cię dość wygodnie pomieścić. Nauczę cię wiosłować i pływać. Oswoisz się z wodą jak każdy z nas.

Kret byt tak wzruszony łagodnymi słowami Szczura, że nie mógł wydobyć głosu, aby mu podziękować. Otarł łapką parę łez; ale zacny Szczur patrzył w inną stronę. Po chwili Kret odzyskał animusz i zdobył się nawet na ciętą odpowiedź dwóm Kurkom Wodnym, które wyśmiewały się z jego zszarganego futerka.

Gdy dopłynęli do domu, Szczur rozpalił jasny ogień w salonie, usadowił na fotelu przed kominkiem Kreta, przyodzianego już w szlafrok i pantofle, i opowiadał mu aż do kolacji różne historie o rzece. Były to opowieści niezmiernie zajmujące dla zwierzątka żyjącego pod ziemią. Historie o tamach, o nagłych powodziach i skaczących szczupakach, o parowcach, które wyrzucają butelki (butelki bywają na pewno wyrzucane, i to z parowców, któż by je wyrzucał, jak nie parowce?), o czaplach, które nie rozmawiają z byle kim, o przygodach podczas wędrówek wewnątrz drenów, o nocnych połowach w towarzystwie Wydry i dalekich wycieczkach z Borsukiem. Kolacja przeszła nadzwyczaj wesoło, lecz zaraz po kolacji gościnny gospodarz musiał odprowadzić mocno rozespanego Kreta do swej najlepszej sypialni. Wkrótce Kret radośnie i ze spokojem złożył głowę na poduszce, wiedział bowiem, iż jego nowa przyjaciółka – Rzeka – chlupocze pod oknem sypialni.

Taki był pierwszy dzień Kreta na powierzchni ziemi; nastąpił potem szereg dni bardzo do siebie podobnych, coraz dłuższych i coraz bardziej zajmujących, w miarę jak

dojrzewało lato. Kret nauczył się pływać i wiosłować, wtajemniczył się w radosne życie bieżącej wody, a przykładając ucho do łodygi trzcin wodnych, chwytał nawet czasem coś niecoś z tego, co wiatr szepce im nieustannie.

Na gościńcu

Mój kochany Szczurku – odezwał się raptem Kret pewnego pięknego ranka w środku lata. – Chciałbym cię prosić o przysługę.

Szczur siedział nad rzeką i nucił piosenkę. Dopiero co sam skomponował tę piosenkę, więc był nią bardzo przejęty i nie zwracał uwagi na Kreta ani na nic innego. Od samego świtu pływał po rzece w towarzystwie swoich przyjaciółek – kaczek. A kiedy kaczki – jak zwykle – stawały na głowie, Szczur dawał nura i łaskotał je po szyjach (powiedziałbym, że łaskotał je w podbródek, gdyby go kaczki miały) i zmuszał je tym sposobem do szybkiego wypływania na powierzchnię. Kaczki były rozwścieczone, krztusiły się i wygrażały Szczurowi każdym piórkiem z osobna, bo przecież nie można wypowiedzieć wszystkiego, co się czuje, gdy się ma łebek schowany pod wodą. Ubłagały go wreszcie, aby poszedł zająć się swoimi sprawami i dał im spokój. Szczur oddalił się więc, usiadł w słońcu nad rzeką i skomponował piosenkę, którą zatytułował:

Ballada o kaczkach

Hen, daleko w cichej wodzie,
Kędy szumią trzciny,
Tam kaczuszki się pluskają
I ogonki zadzierają;

Ogon kaczki, ogon smoka,
Żółte nóżki zamiast wioseł,
Żółte dzióbki wciąż nurkują,
Pilnie wodę przeszukują.

Lepka zieleń wodnej rzęsy,
Gdzie zimują raki –
To dla kaczek jest spiżarnia,
Tam wszystkie przysmaki!

Każdy jakąś ma przyjemność,
Którą się zajmuje.
Kaczek rozkosz: ogon w górę,
Łebek niech nurkuje!

Ponad nimi modre niebo,
Wietrzyk wieje, wzywa.
Ale kaczki wciąż nurkują,
Pożywienie wyszukują.

– Ta piosenka niezbyt mi się podoba – zauważył Kret nieśmiało.

Kret nie był poetą i niewiele go obchodziło, co sobie kto o nim pomyśli, a przy tym był szczery z natury.

– Kaczki też się nią nie zachwyciły – odrzekł Szczur pogodnie – powiedziały: „Dlaczego nikomu nie pozwalają robić tego, co chce, kiedy chce i jak chce! Zaraz ktoś siada na brzegu, przygląda się, wypowiada swoje uwagi, pisze wiersze o tym, co zauważył, i tak dalej. To przecież nie ma sensu!" Takie jest zdanie kaczek.

– Tak, tak, to nie ma sensu – skwapliwie pokiwał głową Kret.

– Nieprawda! – wykrzyknął Szczur obrażony.

– A więc dobrze, już dobrze: zgadzam się z tobą, Szczurku – przytaknął pojednawczo Kret. – Ale ja chciałem spytać, czy nie mógłbyś wprowadzić mnie do pana Ropucha? Tyle o nim słyszałem i ogromnie pragnę go poznać.

– Bardzo chętnie – powiedział poczciwy Szczur, zrywając się i odkładając poezję na inny dzień – Wyciągaj łódkę, płyniemy natychmiast. Ropuch o każdej porze wita mile gości. Czy to rano, czy wieczorem, jest zawsze taki sam; w dobrym humorze, rad, że się przyszło, i zmartwiony, kiedy się odchodzi.

– Musi to być bardzo miłe stworzenie – zauważył Kret, wchodząc do łódki i biorąc się do wioseł, podczas gdy Szczur sadowił się wygodnie przy sterze.

– Najlepszy wśród zwierząt – odrzekł Szczur – bardzo poczciwy, prosty i serdeczny. Może niezbyt mądry – nie możemy wszyscy być geniuszami – lubi się trochę przechwalać i jest zarozumiały, ale ma wielkie zalety.

Kiedy minęli zakręt na rzece, ukazał się przed nimi piękny, okazały, stylowy dwór z czerwonej cegły, poczerniały od starości. Ślicznie utrzymany trawnik schodził aż na brzeg wody.

– Otóż i Ropuszy Dwór – objaśnił Szczurek. – Zatoka na prawo – widzisz tę deskę z napisem wzbraniającym przybijania

do brzegu? – prowadzi do prywatnej przystani Ropucha, tam zostawimy łódkę. Stajnie znajdują się z prawej strony. A w tej chwili przyglądasz się starożytnej komnacie, gdzie ucztowano w dawnych czasach – to bardzo, bardzo stara sala. Ropuch, jak wiesz, ma dużo pieniędzy, jego dwór jest jednym z najładniejszych w okolicy, choć tego przy Ropuchu nie przyznajemy.

Czółno wpłynęło do zatoki, a gdy stanęli w cieniu szopy, Kret złożył wiosła. W szopie znajdowało się wiele ślicznych łódek zawieszonych na linach, inne były wciągnięte do suchego doku, ale ani jedna łódź nie kołysała się na wodzie, zdawało się, że z przystani nikt już nie korzysta. Szczur rozejrzał się wokoło.

– Rozumiem – rzekł. – Skończyło się już wiosłowanie, Ropuch się znudził i porzucił łódki. Ciekaw jestem, jaki nowy bzik go opanował. No, chodźmy go poszukać. I tak dowiemy się o tym.

Wyskoczyli na brzeg i poszli szukać Ropucha na przełaj przez łąkę porośniętą kwiatami. Znaleźli go niebawem; siedział w trzcinowym fotelu, miał zafrasowany wyraz pyszczka, a na jego kolanach rozpościerała się ogromna mapa.

– Wiwat! – wykrzyknął, zrywając się na ich widok. – Świetnie, żeście przyszli! – Uściskał serdecznie łapki obu zwierzątek, nie czekając, aż Szczur przedstawi mu Kreta. – Jak to poczciwie z waszej strony – ciągnął dalej, skacząc wokoło nich. – Miałem właśnie wysłać łódkę po ciebie, Szczurku, z surowym rozkazem, aby cię tu natychmiast dostawiono żywego czy umarłego. Bardzo mi jesteś potrzebny – obaj jesteście mi potrzebni. Czy chcecie coś zjeść lub napić się? Chodźmy do domu coś przekąsić. Nie macie pojęcia, jak dobrze się składa, żeście przyjechali!

– Posiedzimy sobie tutaj spokojnie, Ropuszku – rzekł Szczur, rzucając się na fotel.

Kret zasiadł obok niego i grzecznie pochwalił „rozkoszną siedzibę" Ropucha.

– Najpiękniejszy dwór na całym Brzegu rzeki! – wykrzyknął skwapliwie Ropuch. – A nawet powiem więcej – na całym świecie!

Tu Szczur trącił Kreta. Na nieszczęście Ropuch zauważył ten ruch i zaczerwienił się. Zapanowała kłopotliwa cisza, po czym Ropuch wybuchnął śmiechem.

– Nic nie szkodzi, Szczurku – powiedział. – To przecież mój zwykły sposób wyrażania się. Przyznasz chyba, że ten dwór nie taki znowu brzydki, prawda? Tobie się też podoba. No, a teraz mówmy poważnie, potrzeba mi właśnie takich zwierząt, jak wy. Musicie mi dopomóc. Chodzi o ważną sprawę.

– Masz zapewne na myśli wiosłowanie? – wtrącił Szczur z niewinną minką. – Wcale nieźle ci już idzie, choć za dużo jeszcze rozbryzgujesz wody. Przy wielkiej cierpliwości i pewnej liczbie korepetycji...

– Fe! Wiosłowanie! – przerwał Ropuch z obrzydzeniem. – To głupia dziecinna zabawa. Dawno jej zaniechałem. Strata czasu, nic więcej. Bardzo mi przykro, kiedy widzę, że wy, mimo że już powinniście z tego wyrosnąć, tracicie czas tak bezcelowo. Nie, ja odkryłem wielką rzecz, jedyne zajęcie, które istotnie może życie wypełnić. Pragnę temu poświęcić resztę mego żywota, żal mi tylko lat straconych, zmarnowanych na głupstwa. Chodź, kochany Szczurku, i ty, jeśli łaska, miły jego przyjacielu, pójdziemy do stajni, a wówczas zobaczycie.

Ropuch poszedł pierwszy, wskazując drogę Kretowi; Szczur podążył za nimi bez wielkiego przekonania. Przed budynkami stajennymi stał wyciągnięty z wozowni nowiuteńki wóz cygański w kanarkowym kolorze, z zielonymi ozdobami i kołami pomalowanymi na czerwono.

– Oto go macie! – wykrzyknął Ropuch, nadymając się. – Ten niewielki wóz to prawdziwe życie! Rozstajne drogi, zakurzony gościniec, wrzosowiska, wygony, żywopłoty, rozległe wzgórza. Obozowiska, wsie, miasteczka i stolice! Dziś tu, jutro tam! Wędrówka, zmiana, zainteresowanie, podniecenie. Cały świat stoi otworem, coraz to nowe widnokręgi. Zwróćcie przy tym uwagę, że ten wóz jest absolutnie najpiękniejszy ze wszystkich wozów tego rodzaju. Wejdźcie do środka i zobaczcie, jak tam jest. Sam wszystko obmyśliłem, sam jeden!

Kret, ogromnie podniecony i zaciekawiony, wbiegł skwapliwie za Ropuchem po stopniach do środka wozu. Szczur parsknął, wsadził łapki do kieszeni i pozostał na miejscu.

Wewnątrz wozu wszystko było naprawdę wygodnie urządzone i dostosowane do małej przestrzeni. Stały tam tapczaniki do spania, niewielki składany stolik wpuszczony w ścianę, kuchenka, szafy, półki na książki, klatka z ptakiem oraz garnki, rondle i patelnie wszelkich rodzajów i rozmiarów.

– Doprowadziłem wszystko do perfekcji – rzeki Ropuch, otwierając z triumfem jedną z szaf. – Widzisz – sucharki, homar w puszce, sardynki, czego tylko dusza zapragnie. Tu woda sodowa, tam jagody, papier listowy, boczek, konfitury, karty, domino. Gdy dziś po południu ruszymy w drogę – ciągnął dalej, schodząc ze schodów – przekonacie się, że nie zapomniałem niczego.

– Przepraszam – powiedział wolno Szczur, gryząc słomkę – czy się przesłyszałem, czy też wspomniałeś coś o „nas", o „wyruszaniu", i to „dziś po południu"?

– Mój zacny, kochany Szczurku – rzekł błagalnie Ropuch – nie mów takim godnym i oschłym tonem, wiesz przecież, że tak czy owak musisz pojechać. Nie mógłbym sobie w żaden sposób poradzić bez ciebie, powiedz sobie, że klamka zapadła i nie spieraj się ze mną, bo to jedyna rzecz, której nie znoszę. Nie masz chyba zamiaru przez całe życie trzymać się swej nudnej, stęchłej rzeki, mieszkać w nadbrzeżnej dziurze i pływać łódką. Chcę pokazać ci świat! Chcę cię wykierować na zwierzę, mój drogi!

– Wcale mi na tym nie zależy – powiedział Szczur z uporem. – Nie jadę, i koniec! Będę się trzymał mojej starej rzeki, b ę d ę mieszkał w norze i b ę d ę pływał łódką jak dotychczas. A Kret mnie nie opuści i postąpi tak samo jak ja, prawda, Krecie?

– Oczywiście – potwierdził wierny Kret. – Nigdy ciebie nie opuszczę, Szczurku. Tak będzie, jak ty postanowiłeś; musi tak być. Choć trzeba przyznać, że projekt Ropucha brzmi bardzo... jak by to powiedzieć... bardzo zachęcająco i przyjemnie – dodał po namyśle.

Biedny Kret! Życie pełne przygód było dla niego rzeczą nieznaną i radośnie podniecającą, nową, ponętną; przy tym zakochał się od pierwszej chwili w kanarkowym wozie i jego urządzeniu.

Szczur spostrzegł, co się dzieje w duszy Kreta, i zawahał się. Nie lubił sprawiać nikomu zawodu, a w dodatku przywiązał się do Kreta i zrobiłby prawie wszystko, aby mu się przysłużyć. Ropuch bacznie śledził oba zwierzęta.

– Chodźcie na śniadanie – powiedział dyplomatycznie. – Obgadamy tę sprawę. Nie potrzebujemy się szybko decydować. Mnie oczywiście wszystko jedno, chciałem wam sprawić przyjemność, chłopcy. „Żyć dla bliźnich" – oto maksyma, jaką się w życiu kieruję.

Podczas śniadania, które naturalnie było świetne jak wszystko w Ropuszym Dworze, Ropuch odkrył swoje karty: nie namawiał już Szczura, lecz zaczął grać na niedoświadczonym Krecie jak na harfie. Będąc z usposobienia zwierzęciem gadatliwym i obdarzonym bujną wyobraźnią, odmalował w tak żywych barwach przewidywaną wędrówkę i przyjemność wolnego życia na gościńcu, że podniecony Kret ledwie mógł usiedzieć. W końcu jakimś dziwnym sposobem doszło do tego, iż wszyscy trzej uważali ową wyprawę za rzecz postanowioną. A Szczur – wciąż jeszcze w głębi ducha nieprzekonany – pozwolił dobremu sercu wziąć górę nad osobistym zdaniem. Przykro mu było sprawić zawód obu przyjaciołom, którzy pogrążyli się w planach i przewidywaniach i opracowali codzienny rozkład zajęć na przeciąg kilku tygodni.

Gdy skończyli obrady, zwycięski Ropuch zaprowadził swoich przyjaciół na łąkę i kazał im łapać starego, siwego konia, którego – bez jego zgody, a nawet ku jego wielkiemu niezadowoleniu – skazał na pracę wśród kłębów kurzu, w tej niezbyt pociągającej dla niego wędrówce. Koń niewątpliwie wolał zostać na łące i nie dawał się złapać. Tymczasem Ropuch pakował wciąż nowe zapasy do szafy i wieszał pod wozem torby z obrokiem, siatki z cebulą, wiązki siana i kosze. Wreszcie Kret i Szczur zdołali złapać konia, zaprzęgli go do wozu i przyjaciele wyruszyli w drogę.

Słonecznym popołudniem trzej przyjaciele rozprawiali, idąc obok wozu czy też przysiadając na dyszlu, gdy im przyszła ochota. Zapach wznoszącego się pyłu był przyjemny, po obu stronach drogi rosły gęste sady, skąd dochodziło wesołe nawoływanie się ptaków, a dobroduszni przechodnie pozdrawiali ich mówiąc: „Dzień dobry". Niektórzy nawet zatrzymywali się i wyrażali podziw dla pięknego wozu. Króliki zaś, które siedziały przed wejściowymi drzwiami w żywopłotach, podnosiły przednie łapki i wykrzykiwały: „O rety, rety!"

Późnym wieczorem przyjaciele, uszczęśliwieni i znużeni, po przejechaniu wielu mil zatrzymali się na wygonie, z dala od wszelkich zabudowań, puścili konia wolno, aby mógł się paść, i zjedli skromną kolację, siedząc na trawie obok wozu. Ropuch opowiadał z ważną miną o wszystkim, czego zamierzał w przyszłości dokonać; tymczasem gwiazdy wkoło nich stawały się coraz większe i wyraźniejsze, a żółty księżyc, który cicho i niespodziewanie pojawił się nie wiadomo skąd, aby dotrzymać im towarzystwa, przysłuchiwał się rozmowie. Wreszcie weszli do wozu i położyli się na tapczanikach, a zaspany Ropuch rzekł, rozprostowując łapki:

– No, dobranoc, kochani! To jest życie odpowiednie dla dżentelmena! Co tu gadać o waszej starej rzece.

– Ja nie mówię o mojej rzece – odparł Szczur cierpliwie – zauważ, Ropuchu, że o niej nie mówię. Ale myślę o niej – dodał cicho, z uczuciem. – Myślę o niej... bezustannie.

Kret wyciągnął łapkę spod kołdry, namacał w ciemności łapkę Szczura i uścisnął ją.

– Zrobię wszystko, co zechcesz, Szczurku – szepnął – Może wymkniemy się jutro rano – bardzo rano – i wrócimy do naszej kochanej nory nad rzeką?

– Nie, nie, musimy zobaczyć, co z tego wyniknie – odszepnął Szczur. – Dziękuję ci serdecznie, ale nie mogę opuścić Ropucha, póki nie dokończymy tej wycieczki. Niebezpieczna rzecz zostawić go samego. To i tak długo nie potrwa. Jego zachcianki nigdy nie trwają długo. Dobranoc!

Koniec wyprawy był zaiste bliższy, niż się tego nawet Szczur spodziewał.

Ropuch spał twardo po tylu wrażeniach i długim pobycie na świeżym powietrzu. Żadne potrząsanie nie zdołało go rano z łóżka wyciągnąć. Wobec tego Szczur i Kret zabrali się do roboty po męsku, spokojnie. Szczur obrządził konia, rozpalił ogień, umył zabrudzone wieczorem filiżanki i talerze i nakrył do śniadania, a Kret powędrował do najbliższej wsi – a był to spory kawałek drogi – aby kupić mleka i jajek, i różnych zapasów, o których Ropuch oczywiście zapomniał. Skończyli czarną robotę i, porządnie zmachani, odpoczywali, gdy pojawił się Ropuch, wypoczęty, wesoły i wypowiedział parę uwag na temat miłego i łatwego życia, jakie teraz pędzą, z dala od trosk i męczących zajęć domowych.

Odbyli tego dnia przyjemną wędrówkę przez łąki i wąskie dróżki polne i tak jak poprzedniego dnia obozowali na pastwisku, tylko że tym razem obaj zaproszeni goście dołożyli starań, aby Ropuch odrobił przypadającą na niego część pracy. Dlatego też, gdy rano nadszedł czas wyruszenia w drogę, Ropuch był o wiele mniej zachwycony prostotą sielskiego życia i usiłował powrócić na swój tapczan, skąd wyciągnięto go siłą. Droga, jak przedtem, prowadziła przez wąskie ścieżyny i dopiero po południu wędrowcy wydostali się na szosę, na pierwszą szosę od początku wyprawy; czyhała tam na nich zguba, szybka i nieprzewidziana zguba, która położyła kres ich wyprawie i wpłynęła wprost druzgocąco na przyszłą karierę Ropucha.

Wędrowali, nie śpiesząc się, po szosie. Kret szedł przodem, przy pysku konia, i gwarzył z nim, ponieważ koń uskarżał się, że nie bierze w niczym udziału i że nikt nie ma dla niego najmniejszych bodaj względów. Ropuch i Szczur szli razem za wozem i rozmawiali; a właściwie Ropuch mówił, a Szczur wtrącał się tylko od czasu do czasu:

– Tak, oczywiście; a co ty mu na to powiedziałeś? – i myślał zupełnie o czym innym. Wtedy posłyszeli daleko za sobą słaby, ostrzegawczy dźwięk, podobny do odległego brzęczenia pszczoły. Obejrzeli się i zobaczyli niewielki obłok kurzu, a w środku ciemny punkt; obłok zmierzał ku nim z niesłychaną szybkością, z kurzu dobywał się cichy odgłos: „Poop! Poop!" – niby niewyraźny jęk udręczonego zwierzęcia. Nie zwrócili na to baczniejszej uwagi i ciągnęli dalej rozpoczętą rozmowę, kiedy w jednej chwili (tak się im przynajmniej zdawało) nastąpiła zmiana dekoracji. „To" wpadło na nich wśród huraganowego wichru i szalonego hałasu; wystraszone zwierzęta uskoczyły do rowu. „Poop, poop" zagrzmiało im w uszach; przez mgnienie oka ujrzeli wnętrze połyskujące od niklowanych wykończeń i skóry. Oszołamiający, wspaniały samochód olbrzymich rozmiarów wraz z szoferem, który trzymał kierownicę z wytężoną uwagą, zapanował przez ułamek sekundy nad całą ziemią i powietrzem, zakrył zwierzęta oślepiającą zasłoną z kurzu, a potem zniknął, stał się kropką w dali, wyglądał znowu jak brzęcząca pszczoła.

Stary siwy koń, który drepcząc marzył o spokojnej łące, dał się opanować uczuciom bardzo naturalnym w tym nowym i ciężkim dla niego położeniu. Stawał dęba i wierzgał, i cofał się uparcie, mimo wysiłków Kreta, który trzymał go przy pysku i dobitnymi słowami odwoływał się do jego lepszych uczuć. Koń, cofając się, wepchnął ostatecznie wóz do głębokiego rowu przy szosie. Przez chwilę wóz ważył się na krawędzi drogi, po czym rozległ się żałosny łoskot i wehikuł kanarkowego koloru, duma i radość przyjaciół, leżał w rowie na boku, zniszczony nieodwołalnie.

Szczur po prostu wściekał się ze złości, biegał tam i z powrotem po szosie i krzyczał wygrażając pięściami:

– Ach, wy gałgany! Wy bandyci! Wy zbiry! Zaskarżę was! Będę was włóczył po wszystkich sądach!

Opuściła go zupełnie tęsknota za domem – był teraz szyprem kanarkowego statku, wpędzonego na mieliznę dzięki nieopatrznym manewrom wrogich marynarzy. Usiłował przypomnieć sobie wszystkie dowcipne i sarkastyczne słowa, jakimi wymyślał kapitanom parowców, gdy podpływali zbyt blisko brzegu, a rozkołysane fale zalewały dywan w jego salonie.

Ropuch siedział na środku pokrytej kurzem drogi z wyciągniętymi łapami i wlepiał wzrok w niknący samochód. Oddychał spiesznie, a na jego pyszczku malował się spokój i zadowolenie; od czasu do czasu powtarzał tylko po cichu: „Poop – poop".

Kret usiłował uspokoić konia, co mu się udało po pewnym czasie; zabrał się wówczas do obejrzenia wozu, który leżał na boku w rowie. Był to zaiste smutny widok: potłuczone szyby, beznadziejnie pogięte osie, jedno koło zdruzgotane, puszki z sardynkami rozrzucone na wszystkie strony,

a w klatce ptak, który szlochał rozpaczliwie, błagając, aby go wypuszczono.

Szczur pośpieszył Kretowi z pomocą, lecz połączony wysiłek obu zwierząt nie wystarczył do podniesienia wozu.

– Hej, Ropuchu! – zawołali. – Chodźże nam pomóc!

Ropuch nie odpowiadał ani słowa, ani nie ruszał się ze swego miejsca na środku drogi; poszli więc zobaczyć, co mu się stało. Zastali go pogrążonego jakby w transie; uśmiechał się radośnie, a oczy miał wciąż utkwione w zakurzony ślad ich pogromcy. Od czasu do czasu powtarzał jeszcze: „Poop – poop!"

Szczur schwycił go za ramię i potrząsnął.

– Czy przyjdziesz nam wreszcie pomóc, Ropuchu? – pytał surowym tonem.

– Wspaniały, porywający widok – szeptał Ropuch, który ani drgnął. – Poezja ruchu. P r a w d z i w y sposób podróżowania. J e d y n y sposób podróżowania! Dziś tu, a jutro już rzekłbyś... za tydzień! Przeskakuje się wsie, osady i miasta. Ma się zawsze przed sobą szeroki widnokrąg i nowych ludzi. O szczęście! O poop – poop! O szczęście! O radości!

– Przestańże już robić z siebie osła, Ropuchu! – wykrzyknął Kret z rozpaczą.

– I pomyśleć, że ja nie wiedziałem – ciągnął rozmarzony Ropuch monotonnym głosem. – Zmarnowałem całe dotychczasowe życie. Nie wiedziałem o tym ani mi się nawet śniło! Ale teraz, kiedy już wiem, kiedy sobie jasno zdaję sprawę, droga usiana kwiatami leży przede mną! Tumany kurzu wzniosą się za mną, gdy pomknę beztrosko w dal. Ile ja wozów wpędzę od niechcenia do rowu na szlaku mego wspaniałego biegu! Wstrętne wózki, prostackie wozy, wozy kanarkowego koloru!

– Co z nim zrobić? – spytał Kret Szczura.

– Nic – odparł Szczur stanowczo. – Bo nie ma na to doprawdy żadnej rady. Ja go znam od dawna; szał go opętał. Ma nowego bzika, a w pierwszym okresie nowego bzika jest zawsze taki. To potrwa dość długo, przez szereg dni będzie zupełnie niezdolny do żadnych praktycznych zajęć, niby zwierzę pogrążone w błogim śnie. Bóg z nim! Chodźmy zobaczyć, jak się przedstawia sprawa wozu.

Po starannym zbadaniu doszli do przekonania, że nawet gdyby im się udało we dwójkę podnieść wóz, nie byłby i tak zdatny do dalszego użytku. Osie okazały się być w stanie beznadziejnym, a koło, które odpadło, rozsypało się w kawałki.

Szczur zarzucił lejce na grzbiet konia, związał je i wziął szkapę przy pysku; w drugiej ręce niósł klatkę wraz z jej zdenerwowanym mieszkańcem.

– Chodź – rzekł ponuro do Kreta. – Do najbliższego miasteczka mamy pięć czy sześć mil, musimy przebyć je pieszo. Im prędzej wyruszymy w drogę, tym lepiej.

–Ale co będzie z Ropuchem? – spytał niespokojnie Kret, gdy ruszyli. – Nie możemy zostawić go samego na środku szosy w tym stanie podniecenia. A nuż nadjedzie jeszcze jeden stwór?

– A bierz licho Ropucha – rzekł Szczur ze złością. – Mam go już dość.

Ale nie uszli daleko, kiedy posłyszeli tupot i zadyszany Ropuch, wciąż jeszcze wpatrzony w dal, wziął ich obu pod ramię.

– A teraz posłuchaj, Ropuchu – przemówił Szczur ostrym głosem. – Jak tylko dojdziemy do miasta, udasz się wprost na posterunek policji, dowiesz się, czy posiadają jakieś dane o tym samochodzie – może wiedzą, do kogo należy – i złożysz skargę. Pójdziesz potem do kowala albo kołodzieja i umówisz się z nim, aby przyciągnął i wyreperował wóz. Potrwa to jakiś czas, ale wóz nie jest beznadziejnie rozbity. Tymczasem ja z Kretem wyszukam w jakimś zajeździe wygodne pomieszczenie, gdzie będziemy mogli pozostać, póki wozu nie wyreperują i twoje nerwy nie ochłoną po tym wstrząsie.

– Posterunek policji! Skarga! – szepnął rozmarzony Ropuch. – Ja miałbym oskarżyć tę cudowną niebiańską wizję, która została mi łaskawie zesłana. Zreperować wóz! Skończyłem już na zawsze z wozami. Nie chcę nigdy widzieć tego wozu ani o nim słyszeć. O Szczurku! Nie możesz sobie wyobrazić, jaki ci jestem wdzięczny za to, że zgodziłeś się pojechać na tę wycieczkę! Nie byłbym się wybrał bez ciebie i może nigdy nie byłbym ujrzał tego łabędzia, tego promienia słońca, tego piorunu. Mogłem nigdy nie posłyszeć tego uroczego dźwięku, nigdy nie powąchać tego czarownego zapachu. Wszystko zawdzięczam tobie, o najlepszy z przyjaciół!

Szczur z rozpaczą odwrócił się od Ropucha.

– Sam widzisz – rzekł do Kreta ponad głową Ropucha – on jest beznadziejny. Wyrzekam się wszystkiego. Gdy dotrzemy do miasta, pójdziemy na dworzec. Przy odrobinie szczęścia możemy tam złapać pociąg, który dowiezie nas wieczorem do naszego brzegu rzeki. A jeśli kiedykolwiek przyłapiesz mnie na jakiej wycieczce z tym irytującym zwie-

rzakiem... – Tu parsknął i przez resztę męczącej wędrówki odzywał się tylko do Kreta.

Kiedy dostali się do miasta, poszli wprost na dworzec, gdzie umieścili Ropucha w poczekalni drugiej klasy, dając dwa pensy tragarzowi, aby go miał na oku. Potem zostawili konia w stajni przy zajeździe i wydali najwłaściwsze w swoim mniemaniu rozporządzenia dotyczące wozu i jego zawartości. Ponieważ zdarzyło się, iż wsiedli do pociągu, który stanął na stacji w bliskości Ropuszego Dworu, odstawili wciąż nieprzytomnego, wręcz urzeczonego Ropucha do drzwi jego domu, nakazując gospodyni, aby go nakarmiła, rozebrała i położyła do łóżka. Potem wydostali z szopy swoją łódkę i popłynęli w dół rzeki do domu. O bardzo późnej godzinie zasiedli do kolacji w przytulnym saloniku ku wielkiej radości i zadowoleniu Szczura.

Nazajutrz Kret spał długo i cały dzień wypoczywał; wieczorem łapał ryby na brzegu rzeki, kiedy nadszedł Szczur, który składał wizyty przyjaciołom i zbierał plotki.

– Słyszałeś ostatnią nowinę? – spytał. – O niczym innym nie mówią na całym brzegu rzeki. Ropuch dziś z samego rana pojechał pociągiem do miasta i zamówił sobie wielki i bardzo kosztowny samochód.

Puszcza

Kret pragnął od dawna zawrzeć znajomość z Borsukiem. Borsuk był bardzo ważną osobistością i choć bywano u niego z wizytą rzadko, odczuwało się jego niewidzialny wpływ na wszystkich. Jednak gdy tylko Kret wspominał o swoim życzeniu, Szczur zawsze znajdował wymówkę.

– Dobrze, dobrze – mówił – Borsuk zjawi się tu któregoś dnia. Zawsze się od czasu do czasu pojawia; wówczas cię przedstawię. To byczy chłop. Tylko że należy brać go takim, jakim jest, a także widywać go wtedy, kiedy chce się ukazać.

– A nie mógłbyś zaprosić go na obiad czy jak tam? – spytał Kret.

– Nie przyjdzie – odparł Szczur z prostotą. – Borsuk nienawidzi życia towarzyskiego, zaproszeń, obiadów i tego rodzaju rzeczy.

– W takim razie może poszlibyśmy go odwiedzić? – zaproponował Kret.

– O, to by mu się na pewno nie podobało! – wykrzyknął przerażony Szczur. – Jest bardzo dziki, obraziłby się z całą pewnością. Nawet ja, mimo że znam go tak dobrze, nie ośmieliłbym się nigdy złożyć mu wizyty w jego własnym domu. Przy tym to niemożliwe, przecież on mieszka w samym środku puszczy.

– Więc cóż stąd, choćby tak było? – tłumaczył Kret. – Mówiłeś mi, jak sobie zapewne przypominasz, że puszcza to nic strasznego.

– Ach, tak, tak, nic strasznego – odrzekł Szczur wymijająco. – Myślę jednak, że teraz tam nie pójdziemy; nie w tej chwili. To daleko i w każdym razie Borsuk nie przyjąłby nas o tej porze roku. Zjawi się na pewno któregoś dnia, poczekaj, bądź cierpliwy.

I Kret musiał się tym zadowolić. Ale Borsuk nie zjawiał się, a każdy dzień przynosił nowe rozrywki. Lato dawno minęło, zimno, mróz i błoto na drogach zmuszały do długiego przebywania w domu, a wezbrana rzeka płynęła za oknami tak szybkim nurtem, że śmieszna byłaby myśl o wyprawie jakąkolwiek łódką; dopiero wówczas Kret zaczął rozmyślać uparcie nad osamotnionym starym Borsukiem, który żył w swojej norze gdzieś w samym środku puszczy.

Szczur dużo spał w zimie; udawał się wcześnie na spoczynek i późno wstawał. Podczas krótkiego dnia gryzmolił czasem wiersze albo zajmował się drobnymi pracami domowymi; często także przychodziło jakieś zwierzątko na pogawędkę, wtedy, rzecz jasna, opowiadano sobie rozmaite historie i porównywano zapiski z ubiegłego lata.

Jakież bogactwo mieścił w sobie ten rozdział życia! Składał się z licznych i bajecznie kolorowych ilustracji. Na brzegu rzeki pojawiały się coraz to nowe obrazy; następowały po sobie w niezawodnej, spokojnej kolejności, tworząc wspaniały korowód.

Liliowa smółka przybyła wcześnie; potrząsała bujnymi, splątanymi kędziorami na skraju zwierciadła, w którym uśmiechało się odbicie jej własnej twarzyczki. Niebawem zjawiła się łagodna i smętna wierzbówka, podobna do obłoku oświetlonego różowym blaskiem zachodu. Żywokost biały pełzał ręka w rękę z żywokostem fioletowym, by zająć swe miejsce w szeregu. Wreszcie pewnego ranka głóg, nieufny i opieszały, wystąpił ostrożnie na widownię i wówczas wiedziało się już, że nadszedł czerwiec; rzekłbyś, ogłosiła to smyczkowa orkiestra, na której rozśpiewane struny zabłąkał się gawot. Czekano tylko jeszcze na jednego członka towarzystwa: na pastuszka, ulubieńca nimf, na rycerza, do którego wzdychają w oknach damy. Lecz kiedy storczyk leśny, wonny i dobroduszny, w swym jasnym kaftanie zajął z wdziękiem miejsce pośród grupy, można było rozpocząć przedstawienie.

A było to widowisko nie lada. Gdy do drzwi sennych zwierząt, bezpiecznie ukrytych w norach, dobijał się wicher i deszcz, wspominały cichy, chłodny świt, na godzinę przed wschodem słońca, białą mgłę, jeszcze rozproszoną, ścielącą się gęsto na powierzchni wody, ostry wstrząs wczesnej kąpieli, bieg wzdłuż wybrzeża i promienne przeobrażenie ziemi, powietrza i wody, kiedy nagle pojawiało się słońce. Szarość stawała się złotem, rodziła się barwa. Zwierzęta wspominały leniwą drzemkę, gorące południe w gąszczu zarośli, kędy słońce przenika maleńkimi plamkami i smugami, popołudniowe kąpiele i żeglarskie wyprawy, włóczęgę wzdłuż zapylonych ścieżek, pośród żółtych zbożowych pól i wreszcie długie, chłodne wieczory, gdy zawierało się liczne przyjaźnie i obmyślało wyprawy na dzień następny.

Dużo było do gadania podczas krótkich zimowych dni, kiedy zwierzęta zbierały się wkoło kominka, lecz Kret miał sporo wolnego czasu i pewnego popołudnia, gdy Szczur, siedząc na fotelu przy ogniu, to drzemał, to biedził się nad rymami, które jakby na złość nie chciały do siebie pasować, Kret postanowił wybrać się samotnie na zwiedzenie puszczy, a przy tej sposobności zawrzeć może znajomość z panem Borsukiem.

Popołudnie było chłodne i ciche, a niebo miało kolor stali, kiedy Kret wymknął się na dwór z ciepłego saloniku. Wkoło niego ciągnął się nagi świat, ogołocony z liści. Kretowi mignęła myśl, że nigdy nie widział świata nagiego, takiego, jakim jest w istocie, a taki był w ten zimowy dzień, gdy natura pogrążona w dorocznej drzemce, zrzuciła z siebie szaty; zagajniki, jary, kamieniołomy, wszystkie zatajone miejsca, które podczas lata stanowiły istną kopalnię niezbadanych tajemnic, rozbrajająco obnażyły siebie i swoje sekrety. Zdawały się prosić Kreta, aby nie zważał na ich chwilową nędzę i ubóstwo; wkrótce nałożą znowu bogate maski, będą mogły szaleć, kusić go i zwodzić dawnym urokiem. Robiło to wrażenie trochę zalotne, ale zarazem napełniało otuchą, a nawet wprawiało w dobry humor. Kret cieszył się, że mu się podoba świat bez dekoracji, zakrzepły, odarty z ozdób. Dotarł aż do nagich kości ziemi, a te były proste, silne i piękne. Nie tęsknił za ciepłą koniczyną ani za igraszkami plonujących traw; nie odczuwał braku zasłony żywopłotów ani potrzeby falistych draperii brzóz i wiązów. Pełen otuchy dążył ku Puszczy, która rysowała się przed nim cicha i groźna, niby czarna rafa na spokojnym południowym morzu.

Gdy Kret wszedł do puszczy, nie dostrzegł nic, co by go mogło zaniepokoić. Gałązki trzeszczały mu pod łapkami, potykał się o pnie. Grzyby rosnące na pieńkach przypominały mu karykatury. Zastanawiał się przez chwilę nad ich podobieństwem do czegoś dobrze znanego a dalekiego, ale to wszystko razem było raczej zabawne i podniecające. Mamiło go i wciągało coraz głębiej w las, aż wreszcie dotarł tam, dokąd dochodziło tylko mroczne światło, drzewa zbijały się w gąszcz, a przydrożne jamy wykrzywiały się na niego nieprzyjemnie.

Zrobiło się bardzo cicho, mrok zapadał szybko i nieubłaganie, gęstniał wokół Kreta, a światło zdawało się opadać jak wezbrane wody. Potem zaczęły się pokazywać twarze.

Pierwszy raz wydało się Kretowi, że widzi niewyraźnie zarysowaną twarz nad swym ramieniem; maleńka, złośliwa twarzyczka w kształcie klina spoglądała na niego z nory, a gdy Kret odwrócił się, chcąc jej stawić czoło – znikła.

Przyśpieszył kroku, tłumacząc sobie wesoło, że to urojenie, które należy zwalczyć, inaczej nie będzie temu końca. Minął jedną wyrwę i drugą, i trzecią, a potem – tak! – nie! – tak! Na pewno wąska twarzyczka o groźnych oczach zabłysła w norze i rozpłynęła się. Kret zawahał się, lecz zapanował nad sobą i dążył dalej. Nagle – jakby to była zwykła rzecz – każda nora, czy to bliższa, czy bardziej odległa – a tych nor były setki – zdawała się mieć własną twarz, która ukazywała się i nikła szybko, wszystkie zaś wpatrywały się w Kreta wzrokiem podstępnym i pełnym nienawiści; wszystkie miały oczy nieubłagane, chytre i złośliwe.

Kret pomyślał, że gdyby mu się udało uciec od przydrożnych wyrw, twarze przestałyby go prześladować; zszedł więc ze ścieżki i zapuścił się w las, lecz wówczas zaczęło się gwizdanie.

Kiedy Kret po raz pierwszy posłyszał gwizdanie, był to odgłos słaby, choć przenikliwy, i rozlegał się gdzieś daleko za nim. Mimo to Kret przyśpieszył kroku. Potem zagwizdało coś daleko przed nim, wciąż bardzo cicho, a jednak przenikliwie. Kret zawahał się – miał ochotę zawrócić. Gdy przystanął niepewny, gwizdanie dało się słyszeć z obu stron. Rzekłbyś, podchwytywano gwizd i podawano go dalej przez całą długość puszczy aż do jej najdalszych krańców. Ci, co gwizdali, zdawali się być ze sobą w zmowie, czujni i na wszystko gotowi. A Kret – Kret był sam, bezbronny, pomoc była daleko, a przy tym zapadała noc.

Wówczas zaczął się tupot.

Kret posłyszał najpierw cichy, delikatny szmer i pomyślał, że to opadają liście, lecz odgłos potęgował się, nabrał rytmu i Kret uświadomił sobie, że to nie może być nic innego, tylko odległe jeszcze tupotanie małych nóżek. Czy słyszał je przed sobą, czy za sobą? Najpierw zdawało się odzywać z przodu, a potem z tyłu, wreszcie i z przodu, i z tyłu. Tupot rósł i wzmagał się, a gdy Kret nasłuchiwał trwożnie, pochylając się to tu, to tam, otaczał go ze wszystkich stron. Zwierzątko przystanęło i w tej chwili pokazał się między drzewami Królik, biegnący szybko w jego stronę. Kret czekał, spodziewając się, że Królik zwolni kroku lub też, zobaczywszy go, zawróci. Tymczasem Królik, przebiegając obok, otarł się prawie o Kreta; oczy miał wpatrzone w dal, pyszczek surowy i zacięty i mruczał: – Wymknijże się z tego, ty głupcze, uciekaj! – po czym wyminął pieniek i znikł w gościnnej norze.

Tupot wzrastał; brzmiał teraz jak nagły grad po rozpostartym wkoło dywanie z suchych liści. Cały las zdawał się biec, biec szybko, gnać, gonić, okrążać coś czy też może – kogoś.

Przerażony Kret puścił się także kłusem, bez celu, nie wiedząc, dokąd biegnie. Obijał się o coś, przewracał się przez coś, wpadał w coś i coś omijał. Wreszcie znalazł schronienie w głębokiej dziupli starej brzozy. Dziupla stanowiła kryjówkę, osłonę, może nawet – kto wie? – bezpieczeństwo. W każdym razie Kret był zanadto zmęczony, aby biec dalej, ledwie zdołał zagrzebać się w suchych liściach nagromadzonych przez wiatr; miał nadzieję, że chwilowo jest uratowany. Gdy tak leżał drżący, dysząc ciężko, i nasłuchiwał gwizdów i tupotania, poznał wreszcie w całej pełni owo straszliwe uczucie, nawiedzające w puszczy małych mieszkańców pól i zarośli, uczucie, które owe zwierzęta uważają za najokropniejsze swoje przeżycie. To uczucie, przed którym Szczur starał się nadaremnie Kreta uchronić. Był to lęk czyhający w puszczy.

Tymczasem Szczur drzemał wygodnie przy kominku. Zeszyt z niedokończonymi wierszami ześliznął mu się z kolan, łebek opadł w tył, pyszczek się otworzył, a Szczur wędrował po zielonych brzegach wymarzonych rzek. Wtem osunął się węgielek, ogień zatrzeszczał, trysnął płomieniem i Szczur zbudził się nagle. Przypomniał sobie swoją pracę, sięgnął na ziemię po zeszyt z wierszami, namyślał się przez chwilę, a potem obejrzał się, chcąc spytać Kreta, czy nie zna rymu do tego lub owego słowa. Lecz Kreta nie było.

Szczur nasłuchiwał czas jakiś. Dom wydał mu się niezwykle cichy.

Zawołał parę razy: – Kreciku! – a nie otrzymawszy odpowiedzi, wstał i wyszedł do hallu.

Wieszak, gdzie Kret wieszał zwykle czapkę, był pusty. Znikły także kalosze, które stały zawsze przy koszu na parasole.

Szczur wyszedł z domu i obejrzał starannie błotnistą powierzchnię na zewnątrz nory w nadziei, że natrafi na ślad Kreta. Jakoż ślady odznaczały się wyraźnie. Kret miał nowe kalosze, świeżo zakupione przed zimą, podeszwy nie były schodzone i deseń ich odbijał się na błocie; tropy prowadziły prosto i zdecydowanie w kierunku Puszczy.

Szczur zatroskał się, stanął i chwilę rozmyślał. Potem zawrócił do domu, przywdział pas, za który zatknął parę pistoletów, ujął w łapkę grubą laskę, stojącą w kącie hallu, i szybkim krokiem skierował się w stronę puszczy.

Zmrok już zapadał, kiedy dotarł do pierwszych drzew, lecz zapuścił się w las bez wahania, rozglądając się niespokojnie na boki w poszukiwaniu śladów przyjaciela.

Tu i ówdzie patrzyły z nory złośliwe twarzyczki, lecz znikały natychmiast na widok walecznego zwierzątka, jego pistoletów i grubej pałki. Gwizdanie i tupot, które słyszał wyraźnie, wchodząc do puszczy, przycichły i ustały, zapanowała wielka cisza. Szczur przeszedł las wzdłuż aż do jego najdalszego krańca, jak na mężczyznę przystało, a następnie, porzuciwszy wszelkie ścieżki, postanowił zbadać puszczę wszerz, przeszukując cały teren i nawołując wciąż wesoło:

– Kreciku! Kreciku! Kreciku! Gdzie jesteś? To ja, stary Szczur! – Biegał tak cierpliwie tam i sam po puszczy przez godzinę, a może i dłużej, gdy wreszcie ku swojej radości posłyszał cichy odzew.

Kierując się za tym głosem, przedarł się wśród wzrastającej ciemności do stóp starej brzozy, w której pniu znajdowała się dziupla, i tam doszedł jego uszu słaby szept.

– Czy to naprawdę ty, Szczurku?

Szczur wdrapał się do dziupli i odnalazł Kreta, który dygotał, zupełnie już wyczerpany.

– O Szczurku! – wykrzyknął Kret. – Tak się bałem! Nie możesz sobie wyobrazić, jak straszliwie się bałem!

– Rozumiem to, dobrze rozumiem – rzekł Szczur uspokajająco. – Nie trzeba było tu przychodzić, Kreciku. Źle zrobiłeś. Szczerze pragnąłem oszczędzić ci tego. My, mieszkańcy brzegu rzeki, prawie nie zapuszczamy się samotnie do puszczy. Jeżeli już koniecznie musimy tam pójść, to zawsze w towarzystwie, wówczas zwykle wszystko idzie pomyślnie, a poza tym należy znać zaklęcia, o których my wiemy, a ty ich jeszcze nie znasz. Mam na myśli hasła, znaki i skuteczne powiedzonka, i zioła, które trzeba mieć w kieszeni, i wiersze, które trzeba powtarzać, i fortele, i sztuczki. Wszystko to są rzeczy proste, ale musi się o nich wiedzieć, gdy się jest małym zwierzątkiem, inaczej wpada się w tarapaty. Oczywiście gdybyś był Wydrą albo Borsukiem, sprawa przedstawiałaby się całkiem inaczej.

– Dzielny pan Ropuch nie miałby zapewne nic przeciwko temu, aby tu przyjść samotnie, prawda? – spytał Kret.

– Nasz zacny Ropuch? – Szczur zaśmiał się serdecznie. – Ropuch nie pokazałby tu swego pyszczka nawet za cenę czapki pełnej złotych monet.

Kret nabrał otuchy, gdy posłyszał beztroski śmiech Szczura, gdy zobaczył jego laskę i parę błyszczących pistoletów; odwaga w niego wstąpiła, przestał dygotać, wracał do równowagi.

– A teraz – rzekł Szczur po chwili – musimy doprawdy wziąć się w karby i ruszyć do domu. Rozumiesz, że nocowanie tutaj byłoby nierozsądne, choćby z powodu zimna.

– Drogi Szczurku – powiedział biedny Kret – strasznie mi przykro, ale czuję się śmiertelnie wyczerpany, to fakt, który nie ulega najmniejszej wątpliwości. Musisz pozwolić mi jeszcze trochę wypocząć i odzyskać siły, jeżeli w ogóle mam dotrzeć do domu.

– Ależ zgoda – oświadczył poczciwy Szczur – odpoczywaj. Teraz jest jeszcze ciemno jak w lochu, później powinien się pokazać kawałek księżyca.

Wobec tego Kret rozłożył się wygodnie i zagrzebał głęboko w liście; niebawem zapadł w niespokojny, przerywany sen.

Szczur tymczasem okrył się, jak tylko mógł najlepiej, aby się rozgrzać, i czekał cierpliwie, leżąc z pistoletem w łapce. A gdy Kret zbudził się wreszcie, zupełnie wypoczęty i jak zwykle pogodny, Szczur rzekł do niego:

– A teraz wyjrzę, aby zobaczyć, czy wszystko w porządku, bo musimy już doprawdy wyruszyć.

Podszedł do wejścia kryjówki i wystawił łebek. Kret posłyszał, jak mruczy do siebie:

– Ho! Ho! Ho! A to heca!

– Co się stało, Szczurku? – zapytał Kret.

– Śnieg – odrzekł Szczur krótko. – Sypie gęsty śnieg.

Kret stanął obok Szczura i wyjrzał. Zobaczył, że Puszcza, która go tak przerażała, przybrała zupełnie inny wygląd. Nory, jamy, kałuże, wilcze doły i inne rzeczy, ponure a groźne dla wędrowca, znikały szybko; na wszystkim rozpościerał się dywan z bajki, lśniący a delikatny, rzekłbyś, stworzony nie po to, aby go deptać szorstkimi łapkami. Drobny pył unosił się w powietrzu i łaskotliwie pieścił policzki, a blask, który zdawał się jaśnieć z dołu, oświetlał czarne pnie drzew.

– Ha, cóż? Nie ma na to rady – powiedział Szczur po chwilowym namyśle. – Musimy ryzykować i ruszać w drogę. Najgorzej, że nie wiem dokładnie, gdzie się znajdujemy, a ten śnieg wszystko przeinaczył.

Krajobraz zmienił się rzeczywiście nie do poznania, Kret ledwie mógł uwierzyć, że to ta sama puszcza. Wyruszyli jednak odważnie w kierunku, który był według nich najwłaściwszy. Trzymali się razem i z niezwalczoną otuchą twierdzili, że poznają starego przyjaciela w każdym drzewie, które pozdrawiało ich w surowym milczeniu, lub też że dostrzegają rozpadliny, jamy czy ścieżki o znanym wyglądzie na jednostajnej, białej przestrzeni, wśród czarnych pni, niczym się od siebie nie różniących.

Po godzinie czy dwóch – stracili bowiem poczucie czasu – zatrzymali się zniechęceni, zmordowani, nie mając pojęcia, gdzie się znajdują, i usiedli na obalonym drzewie, aby trochę wytchnąć i obmyślić, co należy robić. Byli rozpaczliwie zmęczeni i w dodatku pokryci sińcami, wpadli bowiem do kilku jam i przemokli do suchej nitki. Śnieg zdążył już pokryć ziemię tak grubą warstwą, że ledwie mogli z niego wyciągać małe łapki, drzewa zaś rosły coraz gęściej i robiły się coraz bardziej do siebie podobne. Las zdawał się bez początku i końca, nie dostrzegali w nim żadnych różnic, a co gorsza – zdawał się nie mieć wyjścia.

– Nie możemy tu długo siedzieć – postanowił Szczur. – Musimy się zdobyć na wysiłek i coś jednak zrobić. Jest straszliwie zimno, a śnieg będzie niebawem tak głęboki, że nie zdołamy przebrnąć przez niego. – Rozejrzał się wkoło z namysłem. – Posłuchaj – ciągnął dalej – co mi przyszło do głowy. Przed nami widzę coś w rodzaju doliny, gdzie grunt wydaje mi się falisty, nierówny, pagórkowaty. Zejdźmy tam i postarajmy się znaleźć jakieś schronienie, jakąś rozpadlinę lub norę, suchą, zabezpieczoną od śniegu i wiatru, odpoczniemy tam sobie, nim jeszcze raz postaramy się stąd wydostać; teraz jesteśmy obydwaj prawie doszczętnie wyczerpani. A przy tym może ustanie śnieg albo coś innego się zdarzy.

Wstali więc, utorowali sobie drogę do doliny i zaczęli szukać jamy czy jakiegoś suchego kąta osłoniętego od ostrego wiatru i wirującego śniegu. Badali właśnie jedną z pagórkowatych części doliny, o których wspominał Szczur, gdy nagle Kret potknął się i upadł z krzykiem na pyszczek.

– O moja łapka! – wołał. – O moja biedna stópka! – i usiadł na śniegu, trzymając tylną łapkę w obu przednich.

– Biedaku! – rzekł Szczur ze współczuciem. – Nie masz jakoś dzisiaj szczęścia. Pokaż łapkę. Tak – ciągnął dalej, przyklękając dla lepszego obejrzenia – skaleczyłeś sobie stopę, to pewne. Poczekaj, wyciągnę chustkę i opatrzę ranę.

– Musiałem nastąpić na jakąś przysypaną gałąź czy korzeń – odezwał się Kret jękliwie. – Ojej! Ojej!

– Rana jest cięta – oświadczył Szczur, przyglądając się bacznie łapce. – To nie od korzenia ani gałęzi. Wygląda to raczej na ranę zadaną metalowym narzędziem. Dziwne.

Zastanawiał się przez chwilę, patrząc po otaczających wzgórkach i pochyłościach.

– Et, wszystko jedno, czym skaleczyło – powiedział Kret, zapominając pod wpływem bólu o gramatycznym wyrażaniu się. –Wszystko jedno, czym się skaleczyłem, ale boli.

Lecz Szczur po opatrzeniu łapki Kreta wziął się do rozkopywania śniegu. Drapał, odrzucał i szperał, pracując pilnie wszystkimi czterema łapkami, a Kret czekał z niecierpliwością, powtarzając od czasu do czasu:

– Chodźże już nareszcie, Szczurku.

Nagle Szczur krzyknął: – Wiwat! – a potem jeszcze raz – Wiwa-a-a-t! – i zaczął niezdarnie tańczyć gigę na śniegu.

– Coś ty znalazł, Szczurku – spytał Kret, trzymając się wciąż za łapkę.

– Zobacz! – zawołał uradowany Szczur, wciąż podskakując.

Kret podszedł, pociągając nóżką, i obejrzał wskazane miejsce.

– Co z tego? – rzekł wreszcie po namyśle. – Widzę, no i co? To samo widziałem już wiele razy. Dobrze znam ten przedmiot. Skrobaczka do butów. Wielka mi rzecz. Nie ma powodu tańczyć wkoło skrobaczki.

– Czy nie rozumiesz, co to znaczy? Ty – ty tępe zwierzę! – wykrzyknął zirytowany Szczur.

– Wiem oczywiście, co to znaczy – odparł Kret. – To znaczy po prostu, że ktoś bardzo nieporządny, jakiś zapominalski porzucił swoją skrobaczkę w samym środku puszczy. Właśnie w takim miejscu, gdzie każdy, chcąc nie chcąc musi na nią nastąpić. Uważam, że ten ktoś postąpił bardzo nieopatrznie. Gdy wrócę do domu, wniosę skargę do... do tego czy owego. Na pewno to zrobię i...

– Ach, miły Boże! – wykrzyknął Szczur doprowadzony do rozpaczy tępotą Kreta. – Przestań wreszcie rezonować i weź się do kopania.

Szczur nie przerywał pracy, podnosząc wokół siebie tumany śniegu. Po pewnym czasie jego wysiłki zostały nagrodzone – odkrył bardzo zniszczoną słomiankę.

– Aha, co ja powiedziałem! – zawołał z triumfem.

– Nic nie powiedziałeś – odparł Kret szczerze. – Teraz – ciągnął dalej – kiedy odkryłeś jeszcze jeden przedmiot domowego użytku, zniszczony i porzucony, przypuszczam, że nic ci do szczęścia nie brakuje. Odtańcz lepiej od razu gigę wokoło tej słomianki, jeśli masz taki zamiar, a potem będziemy mogli wyruszyć w dalszą drogę, nie marnując czasu na śmietnikach. Czyż możemy zjeść słomiankę albo się pod nią przespać, albo usiąść na słomiance jak na sankach i dojechać do domu, ty – ty irytujący gryzoniu?

– Czy – ty – chcesz – powiedzieć – krzyczał podniecony Szczur – że ta słomianka nic ci nie mówi?!

– Doprawdy, Szczurku – odparł Kret zniecierpliwionym głosem – zdaje mi się, że dość tego szaleństwa. Kto kiedy słyszał, aby słomianka coś komuś mówiła? To się nigdy nie zdarza. To zupełnie niepodobne do słomianki. Słomianki robią to, do czego są przeznaczone.

– Słuchaj no, ty – ty – zwierzaku o zakutym łbie – odparł Szczur ze złością. – Dość już tego! Ani słowa więcej! Bierz się do kopania, do skrobania i drapania, a szukaj starannie, uważaj szczególnie na zbocza pagórków, jeśli chcesz dziś spać w suchym i ciepłym miejscu, bo to nasza ostatnia deska ratunku.

Szczur zabrał się z zapałem do najbliższej zaspy; najpierw zapuszczał wszędzie swoją laskę, a potem kopał z furią. Kret także pilnie skrobał, raczej aby się przysłużyć Szczurowi niż z innego powodu, nabrał bowiem przekonania, że jego przyjaciel dostał bzika.

Po jakichś dziesięciu minutach ciężkiej pracy koniec kija Szczura uderzył w coś, co wydało pusty dźwięk. Szczur zaczął odrzucać śnieg, aż wreszcie udało mu się wsunąć łapkę w jamę i to „coś" obmacać, po czym wezwał Kreta na pomoc. Oba zwierzątka wzięły się ostro do roboty i po chwili wynik ich pracy stanął przed oczyma zdumionego Kreta, który zachowywał się dotąd sceptycznie.

Na zboczu tego, co wydawało się zaspą, znajdowały się drzwi o masywnym wyglądzie, pomalowane na kolor ciemnozielony Z jednego boku wisiał uchwyt dzwonka, a poniżej, na małej miedzianej tabliczce, zwierzątka odczytały przy świetle księżyca:

BORSUK

wyryte starannie wielkimi literami.

Kret z radości i zdumienia wywrócił się do tyłu na śnieg.

– Szczurze! – krzyknął ze skruchą. – Ty jesteś nadzwyczajny! Naprawdę nadzwyczajny! Teraz widzę to jasno. Wszystko sobie wyrozumowałeś w tej swojej mądrej głowie. Doszedłeś po nitce do kłębka! W chwili gdy przewróciłem się i skaleczyłem stopę, obejrzałeś ranę i od razu twój wspaniały umysł powiedział sobie: „Skrobaczka do butów!" A potem zabrałeś się do roboty i odnalazłeś skrobaczkę, która mnie skaleczyła. Ale czy na tym poprzestałeś? Ktoś inny byłby się zadowolił takim rezultatem... ale ty... Twój intelekt pracował dalej! „Jeśli tylko znajdę słomiankę – powiedziałeś sobie – to będzie uzasadnienie mojej teorii", i oczywiście znalazłeś słomiankę. Jesteś mądry. Myślę, że mógłbyś znaleźć wszystko, co zechcesz. „Muszą tu być drzwi – powiadasz – jest to dla mnie tak jasne, jakbym je oglądał na własne oczy.

Trzeba je znaleźć, nie pozostaje nam nic innego!" O takich rzeczach czytałem w książkach, ale nigdy nie spotkałem się z nimi w życiu. Powinieneś udać się tam, gdzie znajdziesz odpowiednie uznanie. Tu, wśród nas, marnujesz się po prostu. Gdybym miał twoją głowę, Szczurku...

– Ale ponieważ jej nie masz – przerwał Szczur niegrzecznie – zamierzasz zapewne przesiedzieć na śniegu całą noc i gadać? Wstawaj natychmiast, uwieś się u dzwonka, który tu widzisz, i dzwoń mocno, jak tylko możesz najmocniej, a ja będę się dobijał do drzwi.

Szczur zaatakował drzwi laską. Kret podskoczył do uchwytu, uczepił się go, podnosząc z ziemi tylne łapki, i tak wisiał, aż gdzieś hen, daleko, doszedł ich uszu słaby, lecz głęboki głos dzwonka.

Pan Borsuk

Czekali cierpliwie i długo – tak im się przynajmniej zdawało – tupiąc po śniegu dla rozgrzania łapek, wreszcie posłyszeli człapiące wolno kroki, które zbliżyły się ku drzwiom. Kret powiedział do Szczurka, że ten, co się zbliża, musi mieć na nogach pantofle zbyt obszerne i przydeptane na piętach. Ta uwaga świadczyła o inteligencji Kreta, bo tak było rzeczywiście.

Rozległ się zgrzyt podnoszonej sztaby i drzwi uchyliły się na parę cali, tyle tylko, aby ukazać długi ryjek i dwoje zaspanych, mrugających oczu.

– Jeśli się to jeszcze raz powtórzy – oświadczył szorstki i podejrzliwy głos – rozgniewam się na dobre. Któż to śmie niepokoić mnie w taką noc? Odezwać się!

– O Borsuku! – wykrzyknął Szczur. – Wpuść nas, proszę. To ja, Szczur, i mój przyjaciel Kret. Zgubiliśmy drogę w śniegu.

– To ty, Szczurku, kochany mój chłopcze! – zawołał Borsuk zupełnie innym tonem. – Wejdźcie natychmiast obydwaj, musicie być nieżywi ze zmęczenia. Coś podobnego! Zabłądzili wśród śniegu i to nocą, o tej porze, w puszczy. Ale wejdźcie, wejdźcie!

Zwierzątkom było tak pilno znaleźć się w norze, że wchodząc z pośpiechem, wpadły na siebie i z radosną ulgą posłyszały zamykające się za nimi drzwi.

Borsuk miał na sobie długi szlafrok, a na nogach pantofle, które rzeczywiście były przydeptane, w łapie zaś trzymał płaski lichtarz; zapewne kładł się już spać, gdy posłyszał stukanie. Spojrzał dobrotliwie na przyjaciół i pogładził obu po łebkach.

– To nie jest noc odpowiednia na spacery dla małych zwierząt – rzekł po ojcowsku. – Musiałeś pewnie znów płatać jakieś figle, Szczurku. Ale chodźcie dalej, do kuchni.

Pali się tam buzujący wesoło ogień, jest kolacja i wszystko, czego potrzeba.

Poszedł naprzód, szurając nogami i świecąc po drodze, a Kret i Szczur dążyli za nim – trącając się wzajemnie znacząco, w przewidywaniu wielu przyjemności – wzdłuż długiego, ponurego i, prawdę powiedziawszy, dość odrapanego korytarza. Dotarli wreszcie do czegoś w rodzaju wewnętrznego hallu. Rozchodziły się stamtąd w różne strony przejścia, podobne do tajemniczych tuneli, których końca nie można było dostrzec. Ale w holu znajdowały się także liczne drzwi, porządne, dębowe drzwi, ciężkie i masywne. Borsuk otworzył jedne z nich i zwierzęta znalazły się od razu w blasku i cieple dużego, kuchennego komina.

Podłoga w kuchni była z czerwonych cegieł, dobrze już podniszczonych, a na wielkim kominku – umieszczonym między dwiema rozkosznymi wnękami, dokąd żaden przeciąg nie dochodził – paliły się kłody drewna. Dwa fotele o wysokim oparciu stały naprzeciwko siebie po obu stronach kominka, stwarzając wygodne miejsce do towarzyskich rozmów. Na środku izby znajdował się długi stół z prostych desek na krzyżakach, a po obu jego stronach stały ławy. Przy końcu stołu, tam gdzie był odsunięty fotel, leżały resztki skromnej, lecz obfitej kolacji Borsuka. Szereg niepokalanie czystych talerzy mrugał znacząco na półkach kredensu, umieszczonego w najdalszym krańcu kuchni. A od sufitu zwisały rzędem szynki, wiązki ziół, siatki z cebulą i kosze z jajami. Ta izba była jakby stworzona do uczty bohaterskich rycerzy po odniesionym zwycięstwie lub do biesiady strudzonych żniwiarzy podczas dożynek – zasiedliby licz-

nie na ławkach wzdłuż stołu, śpiewając i weseląc się – ale była także schronieniem dla pary przyjaciół o skromnych wymaganiach, którzy mogliby przesiadywać w kuchni, ile dusza zapragnie, jedząc i gwarząc przyjemnie i wygodnie. Jasna podłoga uśmiechała się porozumiewawczo do zadymionego sufitu, dębowe stołki, wyświecone od długiego użycia, zamieniały ze sobą wesołe spojrzenia; talerze na kredensach szczerzyły zęby do garnków na półkach, a radosne światło ognia pełgało, dokazując ze wszystkimi bez wyjątku.

Zacny Borsuk posadził przyjaciół na krzesłach przy ogniu, aby się mogli dobrze ogrzać, i kazał im zdjąć mokre ubrania i buty. Potem przyniósł im szlafroki i pantofle, obmył własnoręcznie stopę Kreta ciepłą wodą i zalepił ranę plastrem; łapka wyglądała teraz zupełnie jak nowa, może nawet jeszcze lepiej. Kiedy zgonione zwierzątka obeschły wreszcie i ogrzały się w bezpiecznej przystani wśród otaczającego je światła i ciepła, gdy wyciągnąwszy przed siebie zmęczone łapki posłyszały z tyłu obiecujący szczęk ustawianych na stole talerzy, wydało im się, że bezdroża puszczy są odległe o tysiące mil, wszystko zaś, co tam przecierpiały, przedstawiało im się niby na wpół zapomniany sen.

Kiedy wreszcie dobrze się ogrzali, Borsuk zaprosił ich do stołu, gdzie przygotował posiłek. Już uprzednio byli porządnie głodni, lecz kiedy zobaczyli kolację, zdawało im się doprawdy, że mają do rozstrzygnięcia ciężkie zagadnienie: do czego wziąć się najpierw? Wszystko bowiem było niesłychanie nęcące, a przy tym obawiali się, czy inne potrawy zechcą łaskawie poczekać, aż przyjdzie na nie kolej. Rozmowa stała się na długi czas niemożliwa, a kiedy podjęto ją na nowo, toczyła się w sposób godny pożałowania – z pełnymi ustami. Borsukowi wcale to nie przeszkadzało, nie miał im też za złe, gdy kładli łokcie na stół, albo gdy wszyscy razem mówili. Ponieważ sam nigdzie nie bywał, nabrał przekonania, że to są wszystko rzeczy błahe (w czym oczywiście mylił się, bo te sprawy wcale nie są błahe, tylko że wytłumaczenie, dlaczego tak jest, zabrałoby nam zbyt dużo czasu). Borsuk siedział na fotelu przy końcu stołu i z powagą kiwał łebkiem, gdy zwierzątka opowiadały swoje przygody. Nic nie zdawało się gorszyć go lub dziwić; nie powiedział ani razu: „A mówiłem" lub: „Tak twierdziłem zawsze"; nie wygłaszał zdania, że powinny były postąpić tak a tak lub że nie powinny były zrobić tego a tego. Kret nabrał do niego wielkiej sympatii.

Gdy nareszcie skończyli kolację, gdy każde ze zwierząt poczuło, że ma skórę naciągniętą do ostatnich granic bezpieczeństwa i że nie obchodzi go nikt i nic, zgromadzili się wkoło kominka, na którym żarzyły się głownie, i zaczęli rozmyślać, jaka to wielka przyjemność czuwać o tak późnej godzinie, być tak niezależnym i tak bardzo najedzonym. Po dłuższej rozmowie na tematy ogólne Borsuk spytał serdecznym głosem:

– A teraz opowiedzcie mi nowiny z waszych stron. Co porabia stary Ropuch?

– Wpada wciąż z deszczu pod rynnę – odrzekł Szczur z powagą, podczas gdy Kret rozkoszował się ogniem, siedząc wygodnie rozparty na krześle, z łapkami umieszczonymi wyżej łebka, i usiłował przybrać odpowiednio smutny wyraz pyszczka. – Rozbił się znowu w zeszłym tygodniu, i to porządnie. Upiera się przy tym, że będzie sam prowadził auto, a w żaden sposób nie może sobie z tym dać rady. Gdyby wynajął przyzwoite, rozważne, wykwalifikowane zwierzę, zapłacił mu porządną pensję i wszystko mu powierzył, dobrze by na tym wyszedł. Ale gdzie tam! Ubzdurał sobie, że jest szoferem z bożej łaski i że nikt go nie może niczego nauczyć. Widzimy, jakie są tego skutki.

– Wiele ich już było? – spytał Borsuk z chmurną miną.

– Wypadków czy maszyn? – zapytał Szczur. – Choć właściwie dla Ropucha to wszystko jedno. Ma już siódmy samochód. Co zaś do tamtych aut – znasz jego wozownię? Pełno tam – dosłownie pełno aż po sam dach – szczątków, a żaden kawałek nie jest większy od twego kapelusza. To resztki sześciu samochodów Ropucha – jeśli ten szmelc można nazwać samochodami.

– Był już trzy razy w szpitalu – wtrącił Kret. – A przy tym strach bierze, gdy się pomyśli o karach, jakie musiał płacić.

– Tak, to mnie także niepokoi – ciągnął Szczur dalej. – Ropuch, jak wszyscy wiemy, jest bogaty, ale milionerem nie jest. Prowadzi samochód fatalnie, a poza tym zupełnie się nie stosuje do praw i przepisów. Trup lub bankrut – oto co z niego będzie wcześniej czy później. Jesteśmy przyjaciółmi Ropucha, Borsuku, czy nie powinniśmy jakoś temu zaradzić?

Borsuk zamyślił się poważnie, a po chwili powiedział surowym tonem:

– Wiesz chyba, że teraz nic zrobić nie mogę.

Obaj przyjaciele potwierdzili, rozumiejąc dobrze, o co Borsukowi chodziło. Stosownie do zasad zwierzęcej etykiety nie ma stworzenia, od którego można by oczekiwać dokonania w ciągu zimowego sezonu czynu wymagającego wysiłku czy bohaterstwa, czy nawet umiarkowanego ruchu. Wszystkie zwierzęta są w zimie senne, niektóre nawet śpią.

Wszystkie są mniej lub więcej zależne od pogody i wszystkie odpoczywają po trudach dni i nocy, podczas których każdy ich muskuł był wystawiony na ciężką próbę, a nerwy naprężone do ostateczności.

– Zgadzamy się z tym – podjął znów Borsuk. – Ale gdy już się pora zmieni, gdy nastaną krótsze noce, kiedy i tak nie możemy uleżeć, kiedy chcemy się zrywać do czynu już o wschodzie słońca, a nawet wcześniej – ach, przecież wiecie...

Tak, zwierzęta dobrze wiedziały i pokiwały łebkami z powagą.

– Otóż wówczas – mówił Borsuk – my, to znaczy ty i ja, i nasz wspólny przyjaciel Kret – weźmiemy Ropucha w karby. Nie dopuścimy do żadnych głupstw. Doprowadzimy go do rozumu siłą, jeśli się nie da inaczej. Zmusimy go do rozsądku. Zrobimy... Ale ty śpisz, Szczurku.

– Ja? Ależ nie. – Szczur zbudził się nagle.

– Zdrzemnął się już kilka razy po kolacji – rzekł Kret ze śmiechem, gdyż jemu wcale nie chciało się spać, opanowała go nawet wesołość, choć nie wiedział, dlaczego.

Przyczyna leżała niewątpliwie w tym, że Kret był z urodzenia i wychowania zwierzątkiem podziemnym, położenie domu Borsuka bardzo mu odpowiadało, czuł się jak u siebie. Szczur zaś sypiał zawsze w pokoju, gdzie świeże nadrzeczne podmuchy wchodziły przez okno, i odczuwał bez wątpienia wpływ nieprzewietrzonego, dusznego mieszkania.

– Czas już udać się na spoczynek – rzekł Borsuk wstając i biorąc do łapki płaski lichtarz. – Chodźcie, pokażę wam waszą kwaterę. A jutro rano nie śpieszcie się. Śniadanie możecie dostać, kiedy wam się spodoba.

Zaprowadził oba zwierzątka do izby, która wyglądała po części jak skład, a po części jak sypialnia. Zimowe zapasy Borsuka (wszędzie było ich pełno) zajmowały pół pokoju – stosy jabłek, rzepy, kartofli, kosze z orzechami i garnki z miodem – lecz dwa białe łóżeczka na wolnej przestrzeni miały wygląd nęcący i wygodny, a bielizna z szorstkiego płótna była czysta i przyjemnie pachniała lawendą. Kret i Szczur rozebrali się w pół minuty i wśliznęli pod kołdry z wielką radością i ukontentowaniem.

Nazajutrz, korzystając z wcześniejszej zachęty Borsuka, oba zmordowane zwierzątka zeszły bardzo późno na śniadanie. Zastały w kuchni ogień, buzujący na kominku, i dwa młode jeżyki, które siedziały na ławce przy stole, zajadając owsianą kaszę z drewnianych misek. Gdy Kret i Szczur weszli, jeżyki odłożyły łyżki, zerwały się i pochyliły łebki z uszanowaniem.

– Siadajcie, siadajcie – rzekł Szczur dobrotliwie. – Jedzcie swoją owsiankę. Skądżeż to kawalerowie przybyli? Zgubiliście pewnie drogę na śniegu?

– Tak, proszę pana – odpowiedział starszy z jeżyków głosem pełnym szacunku – ja i mały Billy próbowaliśmy się dostać do szkoły – mama koniecznie kazała nam iść, choć droga była taka... i oczywiście zabłądziliśmy, proszę pana, a Billy bał się i zaczął płakać, bo on jest jeszcze mały i w dodatku tchórz. Trafiliśmy wreszcie na kuchenne drzwi pana Borsuka i ośmieliliśmy się zastukać, proszę pana, bo pan Borsuk – jak wszyscy wiedzą – ma bardzo dobre serce...

– Rozumiem – przerwał Szczur krojąc boczek, gdy tymczasem Kret smażył jajka na patelni. – Jak tam na dworze?

Nie potrzebujesz wciąż powtarzać „proszę pana", gdy do mnie mówisz – dodał.

– O, pogoda ohydna, proszę pana, strasznie głęboki śnieg – odparł Jeż – Dziś nieodpowiednia pogoda dla takich panów jak panowie.

– Gdzie pan Borsuk? – spytał Kret, grzejąc kawę przy ogniu.

– Pan Borsuk poszedł do swego gabinetu, proszę pana – odpowiedział Jeż. – Mówił, że dziś rano będzie ogromnie zajęty i pod żadnym pozorem nie pozwolił sobie przeszkadzać.

Wszyscy obecni doskonale zrozumieli to wyjaśnienie. Ostatecznie, jak już mówiłem, kiedy się żyje życiem gorączkowym i ruchliwym przez sześć miesięcy w ciągu roku, a względnie lub istotnie sennym przez pozostałe miesiące, nie można wymawiać się ciągle snem czy to od jakiejś roboty, czy też od obowiązków towarzyskich. Taka wymówka stałaby się w końcu monotonna. Zwierzątka wiedziały dobrze, że Borsuk po zjedzeniu obfitego śniadania zamknął się w swoim gabinecie, usadowił się na fotelu, wyciągnął nogi na krzesełko, zakrył pyszczek czerwoną chustką i oddał się zwykłemu o tej porze „zajęciu".

Dzwonek u drzwi frontowych zadźwięczał głośno, więc Szczur, który miał pyszczek mocno usmarowany masłem od grzanek, posłał Billy'ego, młodszego Jeżyka, żeby sprawdził, kto by to mógł być. W holu dało się słyszeć głośne tupanie, a po chwili Billy wrócił, prowadząc Wydrę, która rzuciła się na Szczura i uściskała go, wykrzykując serdeczne wyrazy powitania.

– Dajże spokój! – wyjąkał Szczur z pełnymi ustami.

– Tak też myślałam, że was tu zastanę w dobrym zdrowiu – rzekła Wydra wesoło. – Wszyscy byli strasznie zaniepokojeni, gdy przybyłam dziś rano na brzeg rzeki. „Ani Szczur, ani Kret nie pokazali się w domu przez całą noc, musiało się stać coś strasznego" – mówili; a śnieg oczywiście przysypał wszystkie ślady. Ale ja wiem, że gdy kto wpadnie w tarapaty, udaje się zwykle do Borsuka, a w każdym razie Borsuk musi coś o tym wiedzieć. Przybiegłam więc wprost tutaj, brnąc po śniegu przez puszczę. Ach! Jaki piękny był śnieg i to czerwone słońce, co błyszczało o wschodzie wśród czarnych pni drzew. Gdy szłam otoczona ciszą, wielkie zwały śniegu ześlizgiwały się z gałęzi i spadały ze strasznym hukiem; musiałam dawać susy w bok, szukając osłony. Podczas nocy wyskoczyły nagle nie wiadomo skąd śniegowe pałace, groty, śniegowe mosty, tarasy, okopy. Byłabym z rozkoszą została tam i długo się bawiła. Tu i ówdzie leżały wielkie gałęzie, które się obłamały pod ciężarem śniegu, a zarozumiałe raszki siadały na nich i skakały, zadzierając nosa, jakby te złamane gałęzie były ich dziełem. Nad moją głową przeleciał wysoko na szarym niebie klucz dzikich gęsi, a kilka wron kołowało nad drzewami; przyjrzały się wszystkiemu dokładnie i odleciały do domu z wyrazem obrzydzenia. Ale nie spotkałam żadnej rozsądnej istoty, od której mogłabym się czegoś dowiedzieć. Mniej więcej w pół drogi natknęłam się na Królika; siedział na pniu i mył łapkami swój głupi pyszczek. Nastraszył się porządnie, gdy podkradłam się od tyłu i położyłam mu przednią łapę na grzbiecie; musiałam mu dać parę szturchańców w łebek, aby go przyprowadzić do przytomności. Udało mi się wreszcie wyciągnąć od niego wiadomość, że jeden z królików spotkał zeszłej nocy Kreta w puszczy. Opowiadano podobno w norach, że pan Kret, przyjaciel od serca pana Szczura, miał jakąś nieprzyjemność, zmylił drogę, a „Oni" wyruszyli na polowanie i „pędzają go w kółko". „Dlaczego żaden z was nic nie zrobił, aby mu dopomóc? – spytałam. – Co prawda nie macie rozumu na zbyciu, ale są was tysiące, tęgich zwierzaków obrośniętych tłuszczem, a wasze podkopy prowadzą w rozmaite strony, mogliście przecież przygarnąć Kreta, zapewnić mu bezpieczeństwo i wygodę, a przynajmniej poczynić jakieś starania w tym kierunku". „Co, my? My, króliki? – odpowiedział po prostu. – My, króliki, miałyśmy coś zrobić?" Więc zdzieliłam go jeszcze raz po łebku i odeszłam; nie pozostawało mi nic innego. W każdym razie czegoś się dowiedziałam. A gdyby mi się udało napotkać którego z „Nich", byłabym zdobyła więcej wiadomości – no i byłabym „Ich" pouczyła.

– Czy nie czułaś... hm... ani trochę zdenerwowania? – spytał Kret, którego na wspomnienie puszczy ogarnął ponownie wczorajszy lęk.

– Zdenerwowania? – Wydra pokazała w uśmiechu mocne, błyszczące, białe zęby. – Ja bym im pokazała nerwy, gdyby który popróbował na mnie swoich sztuczek! A teraz, Kreciku, bądź taki dobry i przysmaż parę plasterków szynki. Jestem straszliwie głodna, a mam moc do opowiedzenia Szczurowi, wieki już go nie widziałam.

Zacny Kret ukroił kilka płatków szynki i nakazał Jeżykom przypilnować smażenia, a sam powrócił do przerwanego śniadania. Tymczasem Wydra ze Szczurem, stykając się niemal łebkami, omawiali zawzięcie wiadomości z brzegu rzeki. Ich rozmowa toczyła się bez końca, płynęła niby szumiąca rzeka.

Talerz przysmażonej szynki znikł i został zwrócony z prośbą o nową porcję, gdy wszedł Borsuk, ziewając i przecierając oczy. Zwrócił się do wszystkich swoim zwyczajem w sposób spokojny i pełen prostoty, wypytując dobrotliwie o zdrowie każdego z osobna.

– Zbliża się pora drugiego śniadania – zauważył, zwracając się do Wydry – zostań, zjesz je z nami, musisz być głodna w ten zimny ranek.

– Ja myślę! – odparła Wydra, mrugając porozumiewawczo do Kreta. – Po prostu umieram z głodu, gdy widzę, jak te młode jeże faszerują się szynką.

Jeżyki, które zaczynały znowu czuć głód po zjedzeniu owsianki i po pracowitym smażeniu szynki, spojrzały nieśmiało na pana Borsuka, ale były zbyt zawstydzone, aby się odezwać.

– Dalej, zuchy, marsz do domu, do matki – rzekł dobrotliwie Borsuk. – Każę was odprowadzić. Na pewno nie będziecie w stanie zjeść dziś obiadu.

Dał każdemu z jeżyków sześciopensową monetę, pogładził

ich po łebkach i malcy odeszli, kłaniając się, machając czapkami i salutując.

Niebawem zabrali się wszyscy do drugiego śniadania. Kret siedział obok Borsuka, a ponieważ tamtych dwoje wciąż jeszcze omawiało nadrzeczne plotki i niepodobna było ich oderwać od tego tematu, Kret skorzystał ze sposobności, aby powiedzieć Borsukowi, jakie wygodne i swojskie wydaje mu się to mieszkanie.

– Gdy się znajdujemy głęboko pod ziemią – dowodził – wiemy, czego się możemy spodziewać. Nic nie może się nam stać, nikt nas nie może dosięgnąć. Jesteśmy panami w całym tego słowa znaczeniu. Nie potrzebujemy nikogo pytać o zdanie ani dbać o to, co kto powie. Ponad naszymi głowami życie toczy się zwykłym trybem. Niech się dzieje, co chce; nic nam do tego. Gdy przyjdzie ochota, wówczas jazda na górę, a tam wszystko gotowe już na nas czeka.

Borsuk promieniał.

– To samo i ja twierdzę – odparł. – Tylko pod ziemią jest bezpiecznie, cicho i spokojnie. A jeśli kto ma bujną wyobraźnię i zapragnie przestrzeni – pokopie, podrapie i już ją ma! Jeśli zaś uważa, że jego dom jest zbyt obszerny, zalepi jedną czy dwie dziury i znów ma to, czego chciał. Nie potrzeba nam architektów ani handlarzy, nikt nie wydziwia nad nami, zaglądając przez płot, a przede wszystkim nie zależymy od pogody. Weź na przykład Szczura. Woda przybierze o kilka stóp i już nieborak musi przenosić się do wynajętego lokalu w niemiłej dzielnicy, gdzie mu jest niewygodnie, a w dodatku kosztuje go to dużo pieniędzy. Albo na przykład Ropuch. Nie mam nic przeciwko Ropuszemu Dworowi, jest to najlepszy z domów w okolicy, jeśli już mowa o domach. Ale niech wybuchnie pożar – co pocznie Ropuch? Jeśli wiatr zerwie dachówki lub ściana zarysuje się czy zawali – co pocznie Ropuch? Przypuśćmy, że w pokojach są przeciągi – ja sam nienawidzę przeciągów – co pocznie Ropuch? Tam na górze dobrze trochę się powłóczyć i zdobyć żywność, lecz trzeba mieć podziemie, dokąd się wraca – oto moje pojęcie o domu.

Kret potakiwał z przekonaniem i dlatego Borsuk serdecznie się z nim pokumał.

– Gdy skończymy śniadanie – rzekł – oprowadzę cię po moim mieszkaniu. Widzę, że potrafisz je ocenić. Znasz się na budownictwie mieszkaniowym, to pewne.

Po śniadaniu, gdy tamtych dwoje usadowiło się przy kominku i rozpoczęło gorącą dyskusję na temat węgorzy, Borsuk zapalił latarkę i kazał Kretowi iść za sobą. Minęli hol i zagłębili się w jednym z głównych tuneli. W migotliwym świetle latarki ukazywały się z obu stron większe i mniejsze pokoje; niektóre miały rozmiar zwykłej szafy, inne obszarem i wspaniałością dorównywały staroświeckiej komnacie w Ropuszym Dworze. Wąskie przejście prowadziło pod prostym kątem do innego korytarza, lecz i tam zobaczyli to samo.

Kret był oszołomiony wielkością i licznymi rozgałęzieniami podziemi, długością korytarzy, masywnością sklepień w skałach, kolumnami, łukami, posadzkami.

– Na Boga, Borsuku! – rzekł wreszcie. – Skąd miałeś czas i skąd czerpałeś siły, aby zrobić to wszystko? Przecież to zdumiewające!

– Byłoby niewątpliwie zdumiewające – odrzekł Borsuk z prostotą – gdybym to ja wykonał. Lecz w rzeczywistości nic nie zbudowałem, a tylko oczyszczałem w miarę potrzeby korytarze i pokoje. Wszędzie wokoło jest tego pełno. Widzę, że nic nie rozumiesz, muszę ci to wyjaśnić. Oto bardzo dawno temu, nim puszcza zasiała się i wyrosła do obecnych rozmiarów, istniało miasto – miasto ludzi, rozumiesz. Tu gdzie teraz stoimy, ludzie żyli, chodzili i rozmawiali, spali i prowadzili swoje interesy. Tu stały ich konie, tu ucztowali, stąd wyruszali na wojenne i kupieckie wyprawy. Byli to ludzie potężni i bogaci; wciąż budowali, budowali dużo, bo im się zdawało, że ich miasto będzie trwało wiecznie.

– Ale co się z nimi stało? – spytał Kret.

– Któż to może wiedzieć? – powiedział Borsuk. – Ludzie przychodzą, mieszkają jakiś czas, budują, gromadzą dobytek – i odchodzą. Taki już mają zwyczaj. Ale my pozostajemy. Borsuki były tu, jak słyszałem, na długo, nim powstało miasto, i teraz znowu są borsuki. Wytrwałe z nas stworzenia. Możemy się wyprowadzić na jakiś czas, ale czekamy, czekamy cierpliwie i znowu powracamy. I tak będzie zawsze.

– Ale co się stało, gdy się ci ludzie wreszcie wynieśli? – spytał Kret.

– Kiedy odeszli ludzie, zaczęły pracować silne wiatry i długotrwałe deszcze. Pracowały pilnie, bez wytchnienia, rok po roku. Być może, że i my, borsuki, dopomogliśmy im trochę we własnym wąskim zakresie; któż to może wiedzieć? Wszystko rozpadało się, rozpadało coraz bardziej, aż stopniowo miasto zamieniło się w ruinę, zostało zrównane z ziemią i wreszcie znikło zupełnie. A potem wszystko zaczęło rosnąć; rosło coraz wyżej, nasiona stały się sadzonkami, a sadzonki drzewami w lesie. Paproć i ciernie pośpieszyły z pomocą, nagromadziły się warstwy przegniłych liści, wezbrane zimą strumyki przynosiły ziemię i piasek, które pokrywały wszystko i równały. Z czasem nasze mieszkania były znów gotowe, więc się wprowadziliśmy. Tam w górze nad nami działo się to samo: przyszły zwierzęta, miejscowość im się spodobała, wprowadziły się, zakwaterowały, rozmnożyły i dobrze im się dzieje. O przeszłość się nie troszczą – przeszłość nigdy zwierząt nie obchodzi, nie mają czasu się nią zajmować. Było tu oczywiście sporo pagórków i nierówności, ale to właśnie przedstawiało dla nas pewną korzyść. Zwierzęta nie kłopoczą się także i przyszłością, kiedy ludzie może się znowu wprowadzą na pewien czas – nie ma w tym nic niemożliwego. Obecnie puszcza jest dość gęsto zamieszkana przez istoty złe, dobre i obojętne, ot, zwykłe zbiorowisko – nie chcę nikogo wyszczególniać. Na świat składają się różne elementy. Coś mi się zdaje, że i ty się o tym osobiście przekonałeś.

– Oj, tak! – odpowiedział Kret i wstrząsnął nim lekki dreszcz.

– No, no! – rzekł Borsuk, klepiąc go po ramieniu. – To było twoje pierwsze zetknięcie się z „Nimi". „Oni" nie są tacy straszni. Wszyscy musimy żyć i pozwolić żyć innym. Ale jutro uprzedzę „Ich" i myślę, że odtąd ci już wody nie zamącą. Moi przyjaciele mogą sobie chodzić po tym kraju, gdzie im się żywnie spodoba, moja w tym głowa.

Gdy powrócili do kuchni, zastali Szczura, który krążył tam, silnie podniecony. Atmosfera podziemia przygnębiała go i działała mu na nerwy, zdawał się doprawdy żywić obawę, iż rzeka ucieknie, jeśli on jej nie dopilnuje. Włożył więc płaszcz i zatknął znów za pas pistolety.

– Chodź już, Krecie! – rzekł niespokojnym głosem, kiedy tylko ich spostrzegł. – Musimy za dnia wyruszyć. Nie mam ochoty spędzać jeszcze jednej nocy w puszczy.

– Wszystko pójdzie dobrze – odezwała się Wydra. – Idę przecież z wami, znam na pamięć każdą ścieżkę; a jeśli trafi się ktoś, komu wypadnie dać szturchańca, możecie z całą ufnością polegać na mnie.

– Nie martw się, Szczurku – dodał spokojnie Borsuk. – Moje korytarze ciągną się dalej, niż przypuszczasz, z kilku stron wychodzą na skraj puszczy, chociaż nie mam ochoty, aby o tym wszyscy wiedzieli. Kiedy już naprawdę będziecie musieli wyruszyć, poprowadzę was krótszą drogą, a tymczasem rozgośćcie się i siadajcie jeszcze.

Lecz Szczur wciąż był niespokojny, chciał wracać i pilnować swej rzeki, więc Borsuk wziął znów do łapy latarkę i poprowadził ich krętym, wilgotnym, dusznym tunelem, częściowo wyrąbanym w skale, a częściowo sklepionym; ów tunel schodził w dół, to znów podnosił się i zdawał się ciągnąć przez wiele mil. Wreszcie zwierzęta ujrzały światło dzienne przebijające przez splątaną roślinność, która zwisała nad wylotem tunelu. Borsuk pożegnał ich szybko, wypchnął z pośpiechem przez otwór, zasłonił go starannie pnączami, suchymi liśćmi i gałęziami, usiłując nadać wszystkiemu możliwie naturalny wygląd, po czym wrócił do domu.

Przyjaciele znaleźli się na samym skraju puszczy. Za sobą mieli skały, zarośla i piętrzące się splątane korzenie; przed

sobą – wielki szmat spokojnych pól, obramionych linią płotów, czerniejących na śniegu; w oddali przebłyskiwała dobrze im znana stara rzeka, a nisko na widnokręgu wisiało czerwone zimowe słońce. Wydra, która znała wszystkie przejścia, podjęła się przewodnictwa, szli więc gęsiego, kierując się w stronę odległej kładki. Tam przystanęli na chwilę, a obejrzawszy się, objęli wzrokiem puszczę i podążyli szybko ku domowi; ku ognisku na kominku i wszystkim dobrze znanym przedmiotom, na których igrał blask płomieni. Czekał na nich szmer rzeki, szumiącej wesoło za oknami. rzeki, którą znali i której ufali; rzeki, która mimo zmiennego usposobienia nie miała dla nich żadnych przykrych niespodzianek.

Kret dążył naprzód, nie mogąc się doczekać chwili, kiedy znajdzie się znowu w domu, wśród dobrze znanych, ulubionych przedmiotów. Uświadomił sobie jasno, że jest zwierzątkiem związanym z uprawnymi polami i żywopłotami, z wyoraną bruzdą, z pastwiskiem, z dróżką odpowiednią na wieczorne spacery, z wypieszczonym ogrodem. Nie dla niego szorstkość, uparta wytrwałość lub zgiełk walki, towarzyszące życiu na łonie dzikiej przyrody. Kret musi być mądry, musi trzymać się przyjemnych miejscowości, gdzie sądzone mu było spędzić życie. Oczekują go tam ciekawe przygody, zdolne wypełnić całe jego istnienie.

„...a w domu najlepiej"

Owce zbiegły się w gromadę i pchały się na płot, dmuchały przez delikatne nozdrza, tupały cienkimi nóżkami, odrzucając w tył łebki, a lekka para unosiła się w mroźne powietrze z zatłoczonej zagrody. Kret i Szczur spiesznie mijali owce, byli w doskonałych humorach, śmiali się i rozprawiali z ożywieniem. Szli na przełaj przez pola, powracając z całodziennej wyprawy odbytej w towarzystwie Wydry; polowali i poszukiwali wyżyny, skąd brały nikły początek niektóre dopływy ich własnej rzeki. Zaciągały się już nad nimi cienie krótkiego zimowego dnia, a mieli jeszcze przed sobą spory kawał drogi. Przeprawiali się właśnie z mozołem przez podorywkę, zdając się na los szczęścia, kiedy posłyszeli beczenie owiec i pośpieszyli ku nim. A potem odkryli ubity ślad prowadzący do zagrody owiec, co im ułatwiło zadanie, zwierzęcy instynkt podpowiadał im bowiem, że to właściwy ślad i że mówi on: „Macie słuszność – ta droga prowadzi do domu".

– Wygląda, jakbyśmy zbliżali się do wioski – rzekł Kret z wahaniem, przyśpieszając kroku, w miarę jak ślad zamieniał się w ścieżkę a ta znów rozszerzyła się w drogę i powierzyła ich opiece doskonałej szosy. Zwierzęta wolą trzymać się z dala od wiosek, a własne gościńce, bardzo uczęszczane, wytyczają samodzielnie, nie biorąc pod uwagę kościoła, poczty czy karczmy.

– Ach, nic nie szkodzi! – powiedział Szczur. – Jest już późna godzina, o tej porze roku wszyscy siedzą w domu; mężczyźni, kobiety, dzieci, psy, koty – wszystko gromadzi się przy ogniu. Przemkniemy się spokojnie, bezpiecznie, bez przykrości. Jeśli chcesz, możemy spojrzeć na ludzi przez okna i zobaczyć, co porabiają.

Szybko zapadająca grudniowa noc otuliła już całkiem wioskę, gdy Szczur i Kret podeszli do niej, stąpając lekko po pierwszym, z rzadka prószącym śniegu. Niewiele mogli rozróżnić; po obu stronach drogi widniały tylko mroczne czerwono-pomarańczowe kwadraty okien oświetlonych lampą czy ogniem z kominka.. Większość okratowanych okien nie miała zasłon, a dla tych, co patrzyli z zewnątrz, mieszkańcy zgromadzeni wkoło stołu z nakryciem do herbaty, zajęci ręczną pracą czy też rozmawiający i gestykulujący wesoło, odznaczali się ową pełną wdzięku swobodą, którą z wielkim trudem przyswaja sobie wytrawny aktor – owym naturalnym urokiem towarzyszącym tym, którzy nie mają pojęcia, że się ich obserwuje. Obaj widzowie przechodzili dowolnie od jednego teatru do drugiego i sami będąc daleko od własnego domu, patrzyli nieco smutnymi oczyma na kota, którego głaskano, na rozespane dziecko, brane pieszczotliwie w ramiona i niesione do łóżeczka, lub na zmęczonego mężczyznę, który przeciągnął się, wytrząsając fajkę nad kłodą dymiącą w kominku.

Wrażenie domowego ogniska, małego, osłoniętego świata, zamkniętego w czterech ścianach, skąd wyklucza się – zapominając o nim – wielki i ważny świat zewnętrzny, promieniowało najsilniej z pewnego okienka o spuszczonej zasłonie. Na tle nocy to okno wyglądało jak zwykła matowa szyba; tuż przy białej zasłonie wisiała klatka, a każdy jej szczegół, każdy drut czy grzęda, nawet wczorajsza kostka cukru o zaokrąglonych kantach – rysowały się bardzo wyraźnie. Puszysty mieszkaniec klatki, siedzący na środkowej grzędzie z łebkiem głęboko schowanym pod skrzydło, zdawał się tak bliski, iż Kret i Szczur mieli wrażenie, że gdyby zechcieli mogliby go łatwo pogłaskać; nawet delikatne końce jego nastroszonych piórek odcinały się ostro na oświetlonym ekranie. Kiedy mu się przyglądali, śpiący ptaszek poruszył się niespokojnie, zbudził, otrząsnął i podniósł łebek. Zobaczyli rozwarty dziób, ziewający jakby z nudów; ptaszek rozejrzał się, wsadził znów łebek pod skrzydło, a wzburzone pióra stopniowo osią-

gnęły doskonały spokój. W tej chwili ostry wiatr uderzył z tyłu na zwierzątka, drobne ukłucia lodowatego deszczu zbudziły ich jakby ze snu. Kret i Szczur uświadomili sobie, że stopki mają przemarznięte i łapki zmęczone, a od domu dzieli ich daleka i żmudna droga.

Kiedy wydostali się za wieś, tam gdzie kończyły się nagle budynki, doleciał ich z mroków po obu stronach drogi zapach przyjaznych pól, dodając sił do przebycia długiej przestrzeni – przestrzeni, za którą leżał dom, przestrzeni, u której kresu – jak to dobrze wiemy – czeka nas szczęk zamka, nagły blask ognia i widok dobrze znanych przedmiotów, które witają nas jak dawno niewidzianych wędrowców zza morza.

Kret i Szczur posuwali się naprzód ostrożnie, w milczeniu, pogrążeni w myślach. Kret marzył przede wszystkim o kolacji, ponieważ było ciemno jak w rogu, a okolicy nie znał – przynajmniej tak mu się wydawało – szedł więc posłusznie śladem Szczura, powierzając mu całkowicie kierownictwo. Co się zaś tyczy Szczura, wysunął się swoim zwyczajem nieco naprzód, wtulił łebek w ramiona, a oczy wlepił w ścielącą się przed nim prostą szarą drogę; nie zwracał więc uwagi na biednego Kreta, którego dosięgało nagłe wezwanie, podobne do elektrycznego wstrząsu.

Ludzie dawno już zatracili najsubtelniejszy ze zmysłów i nie posiadają nawet odpowiedniej nazwy, aby określić wzajemne porozumiewanie się zwierzęcia z otoczeniem, żywym czy też martwym. Mają na przykład jedynie słowo „węch" dla wyrażenia szeregu subtelnych drgnień, które dzień i noc przemawiają do nozdrzy zwierzęcia, szepcząc wezwania i ostrzeżenia, pociągając je lub odstręczając. Taki właśnie tajemniczy, czarodziejski zew dosięgnął wśród ciemności Kreta. Ten zew przyszedł nagle, uderzył w dobrze znaną strunę, która odezwała się skwapliwie, mimo że Kret nie mógł sobie na razie przypomnieć, o co chodzi. Stanął jak wryty na tropie, węszył tu i tam, usiłując uchwycić ponownie cienką nić, telegraficzny prąd, który go tak poruszył. Chwila niepewności i znów odnalazł nić, a wraz z nią przypłynęła teraz gwałtowna fala wspomnień.

Dom. Oto co znaczyły te czułe wezwania, łagodne podmuchy unoszące się w powietrzu, te niewidzialne siły ciągnące Kreta w określonym kierunku. Dom musi być w tej chwili zupełnie blisko. Jego dawny dom, opuszczony w pośpiechu i nieodwiedzany od dnia, kiedy Kret po raz pierwszy odkrył rzekę. Domowe ognisko słało dziś zwiadowców i posłów, aby go pochwycili i przywiedli. Od chwili swej ucieczki w ów pogodny ranek, Kret nie poświęcił ani jednej myśli dawnemu domowi, pochłonęło go nowe życie, jego przyjemności, niespodzianki, wrażenia nieznane i pociągające. Teraz, wraz z falą dawnych wspomnień, dom zarysował się przed nim w ciemności. Był ubogi, ciasny i licho wyposażony, ale stanowił jego własność. To był dom, który Kret sam dla siebie zbudował, dom, do którego powracał radośnie po całodziennej pracy. A najwidoczniej i temu domowi było dobrze z Kretem; tęsknił za nim i pragnął jego powrotu, przemawiał do niego swoim zapachem, siał wezwanie smutne i pełne wyrzutu, ale pozbawione gniewu i goryczy. Przypominał żałośnie, że jest tuż, bliziutko, i że tęskni za Kretem.

Głos był wyraźny, wezwanie stanowcze, Kret musi mu być posłuszny, musi iść za nim natychmiast.

– Szczurku! – zawołał w radosnym podnieceniu –Stój! Wracaj! Jesteś mi potrzebny! Wracaj natychmiast!

– Chodź, Kreciku, chodź, nie marudź! – odparł Szczur wesoło, biegnąc dalej.

– Błagam cię, Szczurku, stój! – prosił biedny Kret z bólem serca. – Nie rozumiesz, o co chodzi. To mój dom, mój dawny dom! Doleciał mnie jego zapach, jest tu niedaleko, naprawdę, całkiem blisko. Muszę tam iść, muszę! Wróć, Szczurku, proszę cię, błagam, wracaj!

Tymczasem Szczur odszedł już daleko, za daleko, aby uchwycić dominujący ton bolesnej prośby w jego głosie. Był przy tym zaniepokojony pogodą, i on bowiem wywąchał coś, co wyglądało mocno podejrzanie, coś, co przepowiadało zbliżanie się śnieżycy.

– Nie możemy się teraz zatrzymywać! – odkrzyknął. – Przyjdziemy jutro poszukać tego, co znalazłeś. Boję się zatrzymywać, już późno i nadchodzi śnieżyca, nie jestem pewien, czy dobrze idziemy, potrzebny mi twój nos, Krecie, chodź, prędko, chodź! – i Szczur podążył dalej, nie czekając na odpowiedź.

Biedny Kret z rozdartym sercem stał samotnie na drodze, a gdzieś głęboko w jego wnętrzu wzbierało gorzkie łkanie; czuł, iż wkrótce wybuchnie niepohamowanym płaczem. Lecz jego wierność dla przyjaciela wytrzymała tę ciężką próbę. Ani mu przez myśl nie przeszło, że mógłby Szczura opuścić. A tymczasem fale płynące z dawnego domu prosiły, szeptały, zaklinały, a wreszcie zaczęły żądać natarczywie. Kret nie śmiał dłużej przebywać w ich zaczarowanym kole. Z wysiłkiem, od którego niemal serce mu pękało, spuścił łebek i podążył posłusznie śladem Szczura. A tymczasem słabe, łagodne zapachy drażniły wytrwale nozdrza, wyrzucały mu nową przyjaźń i obojętną, zimną niepamięć.

Dogonił z trudem Szczura, który nic nie podejrzewając zaczął paplać wesoło o tym, co zrobią po powrocie, o ślicznych kłodach płonących na kominku w salonie, o kolacji, jaką ma zamiar spożyć; nie zauważył milczenia towarzysza ani rozpaczliwego stanu jego ducha.

Wreszcie gdy odeszli już dość daleko i mijali pnie na skraju zagajnika obok drogi, Szczur stanął i rzekł dobrotliwie:

– Mój stary Krecie, wyglądasz na śmiertelnie zmęczonego. Milczysz i powłóczysz łapkami, jakby były z ołowiu. Siądźmy tu i odpocznijmy chwilę, śnieżycy dotąd nie ma, a przebyliśmy już lwią część drogi.

Kret opuścił się smętnie na pieniek, usiłując zapanować nad sobą, czuł bowiem, że łkania, z którym walczył tak długo, nie da się już przezwyciężyć. Podchodziło coraz bliżej do gardła, torowało sobie drogę na świat, atakowało szybko, zwartym szeregiem, aż wreszcie biedny Kret dał za wygraną, rozpłakał się otwarcie i bezradnie – teraz, kiedy wiedział, że utracił to, czego nawet właściwie nie odnalazł.

Szczur, zdumiony i przerażony tym gwałtownym wybuchem żałości, nie śmiał przez chwilę zabierać głosu, wreszcie odezwał się spokojnie i ze współczuciem:

– Co ci jest, kochany? Co się stało? Powiedz mi, jakie masz zmartwienie, może będę mógł coś na nie poradzić.

Biedny Kret z trudem zdołał cośkolwiek wykrztusić wśród łkań, które raz po raz wzbierały w jego piersi, powstrzymując i dławiąc słowa.

– Ja wiem, że to... licha... mroczna chatka – wyjąkał wreszcie przerywanym głosem – nie taka... jak twój wygodny domek albo Ropuszy Dwór... lub obszerne mieszkanie Borsuka... Ale to był mój własny domek. Przywiązałem się do niego... i rzuciłem go, i zupełnie o nim zapomniałem, i nagle go wywęszyłem tam, na drodze, kiedy wołałem cię, a ty nie chciałeś się zatrzymać, Szczurku! Wszystko nagle... w okamgnieniu przypomniało mi się... i zatęskniłem do domu... Ooo! Ooo! A kiedy ty, Szczurku, nie chciałeś zawrócić... kiedy musiałem opuścić swój dom, mimo że go wciąż jeszcze czułem... myślałem, że mi serce pęknie... Mogliśmy przecież zajść i spojrzeć na niego, Szczurku!... Rzucić jedno jedyne spojrzenie... byliśmy bliziutko!... Ale ty nie chciałeś zawrócić, Szczurku, nie chciałeś. O mój Boże, mój Boże.

Wspomnienia poruszyły nowe fale bólu i szlochanie wzmogło się, uniemożliwiając Kretowi dalsze słowa.

Szczur patrzył przed siebie i klepał Kreta łagodnie po ramieniu, po pewnym czasie mruknął ponuro:

– Teraz rozumiem wszystko. Postąpiłem po świńsku. Jestem świnia – zwyczajna świnia!

Czekał, żeby łkanie Kreta uspokoiło się i nabrało rytmu. A gdy wreszcie Kret częściej pociągał nosem niż szlochał, Szczur wstał i rzekł głosem obojętnym:

– No, a teraz, mój drogi, czas już doprawdy, abyśmy ruszyli – i zawrócił na dawny szlak, który z takim trudem sobie utorowali.

– Gdzież ty (hik!) idziesz (hik!), Szczurku?–wykrzyknął Kret, podnosząc łebek z przestrachem.

– Idziemy odszukać twój dom, Kreciku – odrzekł serdecznie Szczur. – Zbieraj się i chodź, bo to niełatwa sprawa. Przyda nam się twój nos.

– Wróć, Szczurku, wróć! – wołał Kret, wstając i biegnąc za Szczurem. – To na nic, zapewniam cię. Nic z tego nie będzie. Jest za późno i za ciemno, i za daleko, i śnieżyca nadchodzi. I... i ja nie miałem zamiaru dać ci poznać, że tak to odczułem... to był przypadek... pomyłka. Pomyśl o brzegu rzeki, o twojej kolacji.

– Pal licho brzeg rzeki i kolację! – odrzekł Szczur z przekonaniem. – Mówię ci, że odnajdę twoją chatkę, choćbym miał całą noc spędzić na poszukiwaniu. Pociesz się więc, stary, weź mnie pod łapkę, niedługo będziemy na miejscu.

Kret, pociągając nosem i starając się wyperswadować ten zamiar, niechętnie dał się prowadzić swemu despotycznemu towarzyszowi, który wesołą rozmową i dykteryjkami usiłował skrócić męczącą drogę i dodać Kretowi otuchy. A gdy wreszcie Szczur pomiarkował, że zbliżają się do miejsca, gdzie Kret został „zatrzymany", powiedział:

– A teraz cicho, sza! Bierzmy się do roboty. Pokaż, że masz nos. Uwaga!

Uszli jeszcze kawałek w milczeniu, wtem Szczur poczuł, że przez jego ramię, wsunięte pod ramię Kreta, przeszedł jakby słaby prąd elektryczny, promieniujący z ciała przyjaciela. Natychmiast oswobodził łapkę, cofnął się o krok i czekał z naprężoną uwagą.

Sygnały płynęły.

Kret stał przez chwilę sztywno wyprostowany, wzniósł w górę nos o lekko drgających nozdrzach i węszył. Nagle podskoczył szybko naprzód – lecz była to pomyłka – natrafił na jakąś przeszkodę, zawrócił i powoli, pewnie, z ufnością podążył prosto przed siebie. Szczur, mocno podniecony, następował na pięty Kreta, który niby lunatyk przeszedł przez suchy rów, przeskoczył płot i węszył ślad w otwartym, pustym polu, oświetlonym słabym blaskiem gwiazd.

Nagle, nie uprzedzając, znikł, lecz Szczur miał się na baczności i śladem przyjaciela nurknął w tunel, dokąd Kreta zaprowadził jego niezawodny węch.

Korytarz był duszny i nieprzewietrzany, Szczurowi czas porządnie się dłużył, nim wreszcie skończyło się podziemne przejście i mógł stanąć na łapki, przeciągnąć się i otrząsnąć. Kret zaświeci zapałkę, a przy jej świetle Szczur spostrzegł otwartą przestrzeń, czysto zamiecioną i posypaną piaskiem; wprost przed nimi było frontowe wejście do domu Kreta, a z boku, nad rączką od dzwonka, widniał napis: *Krecie Zacisze*, wymalowany gotyckimi literami

Kret zdjął ze ściany zawieszoną na gwoździu latarkę i zapalił ją, a Szczur, rozejrzawszy się wokoło, zobaczył, że stoją na dziedzińcu, po jednej stronie drzwi Kreta znajdowała się ogrodowa ławka, a po drugiej walec na kółkach, Kret bowiem, będąc w domu, bardzo dbał o porządek i nienawidził, gdy inne zwierzęta ryły w jego posiadłości płytkie korytarze zakończone kupką ziemi. Na murach wisiały druciane koszyki z paprociami, a między nimi stały na półkach gipsowe odlewy; była tam i królowa Wiktoria, i Garibaldi, i różni inni bohaterowie. Wzdłuż jednego boku dziedzińca była kręgielnia obstawiona ławkami i stoliczkami, na których pozostały ślady jakby od kufli piwa. W środku podwórza znajdował się mały, okrągły basen, obramowany muszlami, a w nim pływały złote rybki. Na środku basenu wznosił się fantazyjny słupek, również ozdobiony muszlami i zakończony dużą kulą ze srebrnego szkła, w której wszystko odbijało się do góry nogami. Wyglądało to bardzo śmiesznie.

Pyszczek Kreta rozpromienił się na widok przedmiotów tak bardzo mu drogich. Wepchnął szybko Szczura przez drzwi, zapalił lampę w holu i jednym spojrzeniem objął dawny dom. Zobaczył, że wszystko pokryła gruba warstwa kurzu, zauważył smutny, opuszczony wygląd niezamieszkanego domu, jego ciasnotę, liche i zniszczone meble i opadł na krzesło, kryjąc nos w łapkach.

– O Szczurku! – wykrzyknął z przerażeniem. – Co ja zrobiłem najlepszego! Po co ja cię sprowadziłem w taką noc do tego lichego, wyziębionego mieszkania, kiedy mogłeś już być o tej porze na brzegu rzeki, mogłeś ogrzać łapki przy buzującym ogniu, a wokoło siebie miałbyś wszystkie swoje śliczne sprzęty!

Szczur nie zważał na żałosne wyrzuty, jakie sobie robił Kret. Biegał po całym mieszkaniu, otwierał drzwi, zaglądał do pokojów, szaf, zapalał lampy i świece i ustawiał je wszędzie.

– Cóż to za przyjemny domek! – zawołał wesoło. – Jaki dobry rozkład. Masz wszystko pod ręką. Niczego ci nie brakuje, każda rzecz na swoim miejscu. Musimy spędzić wesoło dzisiejszy wieczór. Przede wszystkim potrzebny nam dobry ogień na kominku; zaraz się tym zajmę – mam dar wynajdywania tego, czego mi potrzeba. Więc to jest twój salonik? Wspaniały! Czy te tapczaniki wpuszczane w ścianę to twój pomysł? Kapitalne! Idę teraz po węgiel i drewno, a ty tymczasem przynieś ścierkę do kurzu – jest w jednej z szuflad kuchennego stołu – i postaraj się zrobić trochę porządku. Ruszże się, stary!

Kret pod wpływem swego dziarskiego towarzysza otrząsnął się z przygnębienia i zabrał ochoczo i energicznie do odkurzania i froterowania. Tymczasem Szczur biegał tam i na powrót, nosząc opał, i niebawem wesoły ogień buzował w kominie.

Szczur zawołał na Kreta, aby przyszedł się ogrzać, lecz Kreta opanowała znów melancholia; w czarnej rozpaczy opadł na kanapę i ukrył pyszczek w ścierce od kurzu.

– Szczurku! – jęknął. – A co będzie z twoją kolacją, jesteś przemarznięty, głodny, zmordowany! Nie mam nic, aby cię poczęstować, nic – ani okruszyny.

– Jak ty łatwo tracisz animusz, mój drogi – rzekł Szczur z wyrzutem – dopiero co widziałem na kuchennym kredensie klucz do otwierania pudełek z sardynkami, a przecież każdy wie, że to oznacza bliskość sardynek. Zapanuj nad sobą, weź się w karby i chodź ze mną szukać.

Wyruszyli obaj na poszukiwania, zajrzeli do wszystkich szaf, przewrócili do góry nogami zawartość wszystkich szuflad i ostatecznie rezultat okazał się nie najgorszy, choć oczywiście mógł być lepszy. Znaleźli puszkę sardynek, ledwie napoczęte pudełko słonych ciasteczek i kiełbasę zawiniętą w celofan.

– Mamy prawdziwą ucztę – zauważył Szczur, nakrywając do stołu – Znam zwierzęta, które dałyby sobie chętnie obciąć uszy, aby zasiąść z nami do takiej kolacji!

– Nie ma chleba – jęknął Kret z boleścią – ani masła, ani...

– Ani pasztetu z wątróbek, ani szampana – podchwycił przyjaciel szczerząc zęby – Ale, ale, co to za drzwiczki na końcu korytarza? Prowadzą pewnie do piwnicy. Niczego nie brak w tym domu. Zaczekaj no chwilę.

Poszedł do drzwi i wkrótce powrócił nieco zakurzony, niosąc butelkę piwa w każdej łapce i dwie butelki pod pachami.

– Prawdziwy z ciebie sybaryta, mój Krecie – zauważył. – Niczego sobie nie żałujesz. A twój domek jest doprawdy najmilszy w świecie. Gdzieżeś ty wyszperał te sztychy? Dzięki nim pokój wygląda bardzo przytulnie. Wcale się nie dziwię, że jesteś tak przywiązany do swojej nory. Opowiedz mi jej historię i wyjaśnij, jakim sposobem doprowadziłeś ją do obecnego stanu.

Szczur zajął się przynoszeniem talerzy, noży, widelców i rozrabianiem musztardy w kieliszku od jaj, a Kret, z piersią wciąż jeszcze wezbraną niedawno przebytym wzruszeniem, opowiadał – z początku nieśmiało, a potem, w miarę jak się zapalał, z wzrastającą swobodą – jak sobie to uplanował, tamto obmyślił, a znów owo spadło mu jak z nieba – od ciotki; ten sprzęt udało mu się wynaleźć i nabyć wyjątkowo tanio, inny kupił dzięki wielkiej oszczędności i odmawianiu sobie niektórych rzeczy. Odzyskawszy zupełnie humor, zapragnął koniecznie nacieszyć się swoją własnością, wziął więc lampę i zaczął zwracać uwagę gościa na różne szczegóły; rozwodził się nad nimi, zapominając o kolacji, której obaj tak bardzo pragnęli. Szczur był rozpaczliwe głodny, lecz usiłował to ukryć, kiwał głową z powagą, przyglądał się marszcząc brwi i powtarzając od czasu do czasu:

– Nadzwyczajne! Godne podziwu! – gdy tylko nadarzyła się sposobność wtrącić słówko. Wreszcie udało się Szczurowi przyciągnąć Kreta do stołu; zabierał się właśnie z namaszczeniem do otwierania pudełka sardynek, kiedy posłyszał hałas dochodzący z podwórza. Było to jakby szuranie małych łapek po żwirze, połączone z niewyraźnym gwarem cienkich głosów; można było nawet rozróżnić urywane zdania:

– Wszyscy rzędem, podnieś trochę latarkę, Tomciu... Najpierw odchrząknąć... Nie kasłać, kiedy powiem: raz, dwa, trzy... Gdzie mały Billy? Chodź prędko, wszyscy czekamy.

– Co to takiego? – spytał Szczur, przerywając swoje zajęcie.

– Zdaje mi się, że to Polne Myszy – odparł Kret z pewną dumą.

– W czasie świąt obchodzą wszystkie domy i śpiewają kolędy. W tych okolicach jest to zwyczaj uświęcony tradycją. Mnie nigdy nie pominą, przychodzą do Kreciego Zacisza na samym końcu; dawniej częstowałem je gorącymi napojami, a czasem, kiedy mogłem sobie na to pozwolić, dostawały nawet kolację. Przypomną mi się dawne czasy, kiedy je posłyszę.

– Popatrzmy! – wykrzyknął Szczur, zrywając się i biegnąc do drzwi.

Gdy je otworzył, oczom obu przyjaciół przedstawił się widok ładny i dostosowany do świątecznej pory roku. Na dziedzińcu, słabo oświetlonym blaskiem ręcznej latarki, stało osiem czy dziesięć polnych myszek ustawionych w półkole. Miały czerwone szalik szydełkowej roboty na szyjkach, przednie łapki trzymały w kieszeniach, tylnymi zaś tupały dla rozgrzewki. Spoglądały po sobie nieśmiało bystrymi ślepkami podobnymi do paciorków, chichotały przy tym z lekka, pociągały noskami i gorliwie je obcierały rękawami paltek. W chwili gdy Szczur otworzył drzwi, starsza Mysz, która trzymała latarkę, mówiła właśnie:

– Raz, dwa, trzy, zaczynamy!

Przenikliwe głosiki wzbiły się w powietrze. Myszki śpiewały starodawną kolędę, jedną z tych, które komponowali ich

praszczurowie, siedząc na burych, zakrzepłych od mrozu polach albo za węgłami kominów, dokąd chronili się przed śniegiem. Dawne kolędy ojcowie przekazywali dzieciom; śpiewano je w okresie świątecznym, stojąc na błotnistej drodze przed oświetlonymi oknami.

Kolęda

Chociaż mróz dzierży dziś w nocy wartę,
Zostawcie wrota wasze rozwarte.
Wicher hula, niesie słotę...
Na kominku ognie złote...
Jutro wesele...

W palce chuchamy, przytupujemy
I wieść radosną ludziom niesiemy,
W domek cichy – hen z ulicy,
Do kominka – ze śnieżycy:
Jutro wesele...

Nim upłynęła połowa nocy,
Gwiazda otwarła nam ślepe oczy,
Prawą drogę pokazała
I nadzieję w serce wlała:
Jutro wesele...

Józef prowadził, bo było ślisko.
Zobaczył gwiazdę nad stajnią nisko,
Już nie może iść Panienka –
Będzie tu podściółka miękka:
Jutro wesele...

Co mówił anioł, słyszy Maryja,
Kto pierwszy śpiewał Bogu „gloryja"
Pierwsze wołały zwierzęta,
Bo i dla nich noc ta święta:

*Jutro wesele…**

*Przekład Zofii Baumowej

Głosy zamilkły, śpiewacy zawstydzeni, lecz uśmiechnięci zamieniali spojrzenia. Nastała cisza, ale trwała zaledwie chwilę. Gdzieś z daleka i z wysoka, tunelem, którym Kret i Szczur niedawno przywędrowali, spłynęła ku nim ledwie dosłyszalna, harmonijna i wesoła melodia odległych dzwonów.

– Zaśpiewałyście bardzo ładnie! – zawołał Szczur serdecznym tonem. – A teraz chodźcie wszyscy rozgrzać się przy ogniu, napijecie się też czegoś ciepłego.

– Tak, tak, chodźcie, myszy polne! – krzyknął skwapliwie Kret.

– Przypomną mi się dawne czasy. Zamykajcie drzwi za sobą. Przysuńcie sobie ławkę do ognia i poczekajcie chwilę, aż… O Szczurku! – zawołał płaczliwym głosem, osuwając się z rozpaczą na krzesło.

– Co my najlepszego robimy? Przecież nie mamy ich czym poczęstować!

– Zostaw to mnie – rzekł Szczur z powagą. – Hej tam, ty z latarką! Chodź no tu! Chcę z tobą pomówić. Powiedz mi, czy o tej godzinie są jeszcze u was otwarte sklepy?

– Oczywiście, proszę pana – odrzekła Polna Mysz z uszanowaniem. – Podczas świąt nasze sklepy bywają otwarte do późnej godziny.

– Posłuchaj więc uważnie. Pójdziesz natychmiast wraz ze swą latarką i przyniesiesz mi...

Tu Szczur zniżył głos. Kreta dochodziły tylko strzępy długiej rozmowy.

– Uważaj, aby były świeże... Nie, funt wystarczy... Koniecznie „Bugginsa”... nie chcę innej marki... Nie, najlepsze... Jeśli tam nie będzie, pójdziesz do innego sklepu... Tak, oczywiście, domowej roboty, nie w puszkach... Postaraj się załatwić to jak najlepiej.

W końcu zadźwięczały pieniądze podawane z łapki do łapki, mysz polna otrzymała wielki kosz na prowiant i oddaliła się spiesznie razem ze swoją latarką.

Polne myszy zasiadły rzędem na ławce, machając tylnymi łapkami, i dopóty ogrzewały sobie odmrożenia, aż łapki zaczęły je swędzieć i szczypać. Kret nie potrafił wciągnąć myszy do rozmowy na tematy ogólne, przeszedł więc do spraw familijnych. Każda mysz musiała mu powiedzieć imiona licznych sióstr i braci, którzy, jak się okazało, byli jeszcze mali i dlatego nie pozwolono im w tym roku chodzić z kolędą, mieli jednak nadzieję, że wkrótce uzyskają na to zgodę rodziców.

Tymczasem Szczur oglądał etykietę na butelce piwa.

– Widzę, że to „Old Burton” – zauważył z uznaniem. – Jesteś mądry, Krecie. Tego nam właśnie było potrzeba, możemy sobie zrobić polewkę z piwa. Przygotuj wszystko, a ja tymczasem odkorkuję butelki.

Przyrządzanie polewki zajęło im niewiele czasu, wsunęli żelazny saganek w rozżarzone serce ognia. Wkrótce każda mysz polna popijała gorący trunek, kaszląc, dławiąc się, śmiejąc i ocierając oczy; zapomniały zupełnie, że im kiedyś było zimno.

– Te małe dają przedstawienia teatralne – tłumaczył Kret Szczurowi. – Same układają sztuki, a potem je wystawiają. Wcale dobrze im się to udaje. Zeszłego roku wystawiły ciekawe przedstawienie; bohaterką sztuki była polna mysz wzięta do niewoli przez korsarzy; musiała wiosłować na galerze, a kiedy uciekła i powróciła do kraju, dowiedziała się, że jej ukochany wstąpił do klasztoru. Hej ty, mała! Pamiętam, że występowałaś w tej sztuce. Wstań i zadeklamuj nam jakiś wyjątek.

Mysz polna, do której Kret się zwrócił, wstała przestępując z łapki na łapkę, rozejrzała się po pokoju i – zapomniała języka w pyszczku. Towarzyszki dodawały jej otuchy, Kret perswadował i zachęcał, Szczur chwycił się nawet energicznego środka i trząsł ją za ramiona, ale nie mogła opanować tremy, wszyscy kręcili się gorliwie wokoło niej niby przewoźnicy, co według przepisów „Królewskiego Towarzystwa Humanitarnego" ratują topielca, który długi czas przebywał pod wodą. Wtem zatrzask szczęknął, drzwi się otworzyły i ukazała się polna mysz z latarką, zgięta pod ciężarem kosza.

Nie było już mowy o przedstawieniu. Gdy wysypano solidną zawartość kosza na stół, Szczur objął komendę, a każdy musiał czymś się zająć czy coś przynieść. Przygotowano bardzo szybko kolację i Kret jak we śnie zasiadł na pierwszym miejscu. Miał przed sobą stół – niedawno pusty – zastawiony gęsto wspaniałymi przysmakami; widział rozpromienione twarzyczki swych małych przyjaciół, którzy nie tracąc czasu, rzucili się na jedzenie, a wreszcie sam – ponieważ był naprawdę zgłodniały – zaczął wsuwać smakołyki zdobyte jakimś cudownym sposobem i myślał sobie, jak szczęśliwie mu się udał powrót do domu. Przy jedzeniu rozmawiano o dawnych czasach. Myszy polne zdawały Kretowi sprawę z najnowszych miejscowych plotek i odpowiadały, jak umiały najlepiej, na setki pytań, które im zadawał.

Szczur mówił mało albo milczał, ale uważał, czy każdy gość ma wszystkiego pod dostatkiem, i pilnował, aby Kret niczym się nie kłopotał i nie niepokoił.

Wreszcie polne myszy odeszły z tupotem, dziękując i życząc „wesołych świąt”; zabierały pełne kieszenie upominków dla małych siostrzyczek i braciszków, którzy zostali w domu. Gdy drzwi zamknęły się za ostatnią myszą i ucichł tupot nóżek, Kret i Szczur podsycili ogień, przysunęli fotele do kominka, przyrządzili sobie jeszcze po jednej szklance piwnej polewki do poduszki i zaczęli omawiać wydarzenia dnia. Wreszcie Szczur, ziewając od ucha do ucha, oświadczył:

– Wiesz, stary Krecie, nie mogę powiedzieć, że mi się chce spać, gdyż to za mało, po prostu padam ze zmęczenia. Ten tapczan na prawo pewno twój? W takim razie ja się kładę na tamtym. Cóż za rozkoszne mieszkanko! Wszystko pod ręką!

Wdrapał się na tapczan, owinął się szczelnie kołdrami i od razu zapadł w sen, który objął go niby żniwiarka biorąca w ramiona pokos jęczmienia.

Kret, radosny i zadowolony, złożył z rozkoszą łebek na poduszce. Lecz nim zamknął oczy, pozwolił im błądzić po swym dawnym pokoju i rozkoszować się blaskiem ognia, który igrał na dobrze mu znanych, miłych sprzętach lub oświetlał je spokojnie. Te sprzęty przez długi czas stanowiły jakby część Kreta, a teraz, nie żywiąc do niego urazy, przyjmowały jego powrót z uśmiechem. Obecne usposobienie Kreta było zasługą taktownego postępowania Szczura. Kret zdawał sobie jasno sprawę, że jego mieszkanko jest proste i niewyszukane, nawet ciasne – ale równie jasno widział, jak silnie jest do niego przywiązany, i doceniał wartość takiej przystani dla każdego zwierzęcia. Nie pragnął wcale porzucać nowego życia i jego wspaniałych perspektyw, nie miał zamiaru odwracać się od słońca, powietrza i wszystkiego, co od nich brał, aby wśliznąć się z powrotem do swojego domu i w nim pozostać, świat tam w górze zbyt silnie do niego przemawiał; nawet tu, w swojej norze, Kret czuł jego wezwanie, wiedział, iż musi wrócić na szersze wody. Lecz z przyjemnością myślał, że ma dokąd się schronić: ma własny domek i te sprzęty, które go tak radośnie witają; czuł, że zawsze może tu liczyć na serdeczne przyjęcie.

Pan Ropuch

Był pogodny ranek na początku lata; rzeka wróciła do swego normalnego łożyska i zwykłej bystrości nurtu, a upalne słońce zdawało się wydobywać wszystką zieloność ukrytą w ziemi, podciągało wzwyż, rzekłbyś, sznurami, wszystkie krzaki, wszystkie sadzonki. Kret i Szczur wstali skoro świt i zajęli się pilnie sprawami związanymi z łodzią i otwarciem żeglarskiego sezonu; malowali i politurowali, naprawiali wiosła, zaszywali poduszki, szukali zaginionych haków i tak dalej.

Kończyli właśnie śniadanie w małym saloniku, omawiając z przejęciem plan dnia, kiedy rozległo się pukanie do drzwi.

– O, do licha! – rzekł Szczur, który miał pyszczek umorusany jajkami. – Mój Kreciku, skończyłeś już śniadanie, idź zobacz, kto to.

Kret poszedł otworzyć, Szczur posłyszał zdziwiony okrzyk, a po chwili drzwi od saloniku rozwarły się z impetem i Kret oznajmił głosem pełnym namaszczenia:

– Pan Borsuk.

Sytuacja była wyjątkowa, Borsuk bowiem nie miał zwyczaju przybywać do kogokolwiek z oficjalną wizytą. Zwykle czyhało się na niego przy żywopłocie, wzdłuż którego prześlizgiwał się wczesnym rankiem lub późnym wieczorem, albo też przyłapywano go w jego mieszkaniu w środku puszczy, co było trudną sprawą.

Borsuk wsunął się ociężale do pokoju i stanął, patrząc z powagą na przyjaciół. Szczur upuścił łyżeczkę i otworzył pyszczek ze zdumienia.

– Wybiła godzina! – rzekł wreszcie Borsuk uroczyście.

– Jaka godzina? – spytał Szczur, spoglądając z niepokojem na zegar.

– Spytaj raczej czyja godzina – odparł Borsuk. – Godzina Ropucha. Obiecałem, że wezmę go w karby, jak tylko zima minie na dobre, i zamierzam spełnić dziś moją obietnicę.

– Godzina Ropucha, no tak! – zawołał radośnie Kret. – Wi-wa-a-at! Pamiętam. Nauczymy Ropucha rozumu.

– Dziś rano – ciągnął Borsuk, zasiadając w fotelu – dowiedziałem się z pewnego źródła, że mają przysłać na próbę do Ropuszego Dworu nowy samochód o niezwykle potężnym silniku. Może właśnie w tej chwili Ropuch nakłada na siebie ten ohydny strój, tak przez niego ulubiony, i tak z dość przystojnego Ropucha zamienia się w pokrakę, na której widok każde rozsądne zwierzę dostaje ataku nerwowego. Trzeba działać, póki czas. Pójdziecie zaraz ze mną do Ropuszego Dworu, musimy dokonać dzieła ocalenia.

– Masz słuszność! – zawołał Szczur, zrywając się. – Ocalimy nieszczęsne stworzenie. Nawrócimy je. Będzie najżarliwszym z nawróconych Ropuchów.

Puścili się więc w drogę, aby spełnić posłannictwo miłosierdzia, a Borsuk kroczył na ich czele. Gdy zwierzęta wędrują w towarzystwie, idą zwykle gęsiego; tak każe rozsądek i przyzwoitość. Nie rozłażą się po całej drodze, gdyż to uniemożliwia pośpieszenie sobie z pomocą w razie nagłej potrzeby czy niebezpieczeństwa.

Kiedy dotarli do wjazdowej alei Ropuszego Dworu, zobaczyli stojący przed domem – wedle słusznych przewidywań Borsuka – nowiuteńki, czerwony samochód olbrzymich rozmiarów (czerwień była ulubionym kolorem Ropucha). A kiedy podeszli do domu, drzwi wejściowe otwarły się z trzaskiem i pan Ropuch w samochodowych okularach, w czapce, kamaszach i obszernym płaszczu zaczął schodzić ze schodów z dumną miną, naciągając rękawiczki.

– Bywajcie! – wykrzyknął wesoło na widok zwierząt. – Przychodzicie w porę, odbędziemy razem rozkoszną... odbędziemy rozkoszną... roz-kosz-ną...

Gdy Ropuch zauważył surową, nieugiętą postawę swych milczących przyjaciół, nie dokończył zaproszenia, jego serdeczny głos załamał się i ucichł.

Borsuk wszedł na schody posuwistym krokiem.

– Prowadźcie go z powrotem do domu! – rozkazał swym towarzyszom. A gdy mimo oporu i protestów Ropucha wepchnęli go do sieni, Borsuk zwrócił się do szofera, który przyprowadził nowy samochód:

– Bardzo mi przykro, ale nie będzie pan dziś potrzebny. Pan Ropuch zmienił zdanie, nie kupi tego samochodu. Jest to postanowienie nieodwołalne, nie ma pan na co czekać.

Borsuk wszedł do domu i zamknął za sobą drzwi. – A teraz – zwrócił się do Ropucha, gdy we czterech znaleźli się w sieni – zdejmij przede wszystkim ten śmieszny ubiór.

– Nie zdejmę – odparł żywo Ropuch. – Co znaczą te zniewagi? Żądam natychmiast wyjaśnienia!

– Rozebrać go! – nakazał krótko Borsuk.

Szczur i Kret musieli rozciągnąć Ropucha na ziemi, nie mogli sobie z nim inaczej poradzić; wymyślał i kopał ich, aż wreszcie Szczur na nim usiadł, Kret zaś ściągnął z niego kolejno różne części samochodowego rynsztunku, po czym postawili go na nogi. Sporo junackiego animuszu wywietrzało mu z łebka wraz ze zdjętym ubraniem. Teraz, gdy był po prostu Ropuchem, a nie Postrachem Szos, przestępował z łapy na łapę i spoglądał błagalnie to na jedno, to na drugie zwierzę; zdawało się, że zrozumiał swoje położenie.

– Wiedziałeś, że wcześniej czy później musiało do tego dojść, Ropuchu – tłumaczył Borsuk surowo. – Lekceważyłeś nasze ostrzeżenia, trwoniłeś pieniądze odziedziczone po ojcu. A przez ciebie, przez twoje wariackie jazdy, katastrofy, awantury z policją, dobre imię zwierząt w powiecie zostało narażone na szwank. Niezależność jest rzeczą cenną, lecz my, zwierzęta, nie możemy pozwolić, aby głupota naszych przyjaciół przekroczyła pewne granice. A ty granice te przekroczyłeś. Ogólnie biorąc, jesteś dobrym zwierzątkiem, nie chcę więc być zbyt surowy, postaram się raz jeszcze doprowadzić cię do rozsądku. Chodź za mną, dowiesz się, co myślę o twoim postępowaniu, zobaczymy, czy wyjdziesz z tego pokoju takim samym Ropuchem, jakim teraz jesteś.

Borsuk chwycił silną łapą ramię Ropucha, zaprowadził go do gabinetu i zamknął za sobą drzwi.

– To na nic – rzekł Szczur z pogardą. – Nie da się zmienić Ropucha samym gadaniem. Wszystkiemu będzie potakiwał.

Przyjaciele usadowili się wygodnie w fotelach i czekali cierpliwie. Przez zamknięte drzwi dochodził ich nieprzerwany szmer głosu Borsuka; ten głos pod wpływem krasomówczego zapału to wznosił się, to opadał. Po pewnym czasie zauważyli, że miarowy, głęboki szloch przerywa kazanie, szloch wydzierający się najwidoczniej z piersi Ropucha. Ropuch był stworzeniem uczuciowym, obdarzonym miękkim sercem i dawał się łatwo przekonać – przynajmniej chwilowo – o słuszności każdego poglądu.

Po upływie mniej więcej trzech kwadransów drzwi się otworzyły. Ukazał się w nich Borsuk, prowadząc uroczyście za łapę niepewnego i zgnębionego Ropucha; skóra wisiała na nim na kształt worka, łapki mu drżały, a policzki były mokre od obfitych łez, wywołanych wzruszającą przemową Borsuka.

– Siadaj, Ropuchu – rzekł dobrotliwie Borsuk, wskazując krzesło. – Przyjaciele – ciągnął dalej – oznajmiam wam z przyjemnością, że Ropuch uznał wreszcie swoje błędy. Żałuje szczerze swych przewinień; postanowił wyrzec się samochodów na zawsze. Uroczyście mi to obiecał.

– To bardzo pomyślna wiadomość – powiedział Kret poważnie.

– Bardzo pomyślna – powtórzył za nim Szczur z powątpiewaniem – jeśli tylko... jeśli...

Mówiąc te słowa, wpatrywał się bacznie w Ropucha i zdawało się, że zauważył coś w rodzaju błysku w jego wciąż jednak smutnym oku.

– Jeszcze jedno, Ropuchu – ciągnął dalej zadowolony Borsuk – chciałbym, abyś powtórzył tu uroczyście, wobec zgromadzonych przyjaciół, to samo, co przed chwilą wyznałeś mi w gabinecie. Po pierwsze: że żałujesz swego postępowania i zdajesz sobie sprawę, jakie było szalone.

Nastąpiła długotrwała cisza. Ropuch rozglądał się z rozpaczą na wszystkie strony, a zwierzęta czekały milcząc z powagą. Wreszcie Ropuch wybuchnął.

– Nie! – rzekł posępnie, lecz z dumą. – Wcale tego nie żałuję. To nie było żadne szaleństwo. To było po prostu cudowne.

– Co?! –wykrzyknął Borsuk, wielce zgorszony. – Ty obłudne zwierzę! Czy nie zapewniałeś mnie dopiero co, tam...

– O, tak, tam! – odparł niecierpliwie Ropuch. – Tam byłbym przyznał się do wszystkiego. Jesteś taki wymowny, kochany Borsuku, tak logicznie dowodzisz, że... potrafisz wzruszać i przekonywać. Tam mogłeś zrobić ze mną, co tylko chciałeś, wiesz o tym dobrze. Ale zastanowiłem się, przetrawiłem te sprawy i doszedłem do przekonania, że właściwie nie żałuję niczego i niczym się nie martwię, więc po co u licha mam mówić to, czego nie myślę, prawda?

– A więc nie obiecujesz, że już nigdy nie dotkniesz samochodu? – rzekł Borsuk.

– Ani myślę obiecywać! – odparł Ropuch z naciskiem. – Przeciwnie, obiecuję solennie, że jak tylko zobaczę jakiś samochód, zatrąbię poop-poop i jazda.

– Dobrze więc – powiedział Borsuk stanowczo i wstał. – Skoro nie chcesz posłuchać perswazji, zobaczymy, jaki skutek odniesie siła. Wciąż się tego lękałem. Zapraszałeś nas nieraz, Ropuchu, abyśmy zabawili dłuższy czas w twoim pięknym dworze; postanowiliśmy teraz to zrobić. Nie wyjdziemy, póki cię nie przekonamy o słuszności naszych poglądów. Szczurze! Krecie! Zaprowadźcie go na górę i zamknijcie w sypialni, a my omówimy tę sprawę.

– To przecież dla twego dobra, Ropuszku – rzekł dobrotliwie Szczur, gdy obaj wierni przyjaciele taszczyli po schodach wierzgającego i wyrywającego się Ropucha – pomyśl, jak będzie nam wesoło razem – po dawnemu – kiedy minie ci ten... ten przykry atak...

– Zaopiekujemy się starannie wszystkimi twoimi interesami, póki nie wydobrzejesz, Ropuchu – wtrącił Kret. – Dołożymy starań, aby nie trwonić pieniędzy tak jak ty je trwoniłeś.

– Nie będziesz miał przykrych zajść z policją, Ropuchu – powiedział Szczur, wpychając przyjaciela do sypialni.

– I nie będziesz już musiał wylegiwać się po szpitalach, zdany na łaskę pielęgniarek, Ropuchu – dodał Kret, przekręcając klucz w zamku.

Zeszli ze schodów (Ropuch wymyślał im tymczasem przez dziurkę od klucza) i zaczęli we trzech radzić nad położeniem.

– To będzie trudna sprawa – rzekł Borsuk, wzdychając. – Nigdy nie spotkałem się u Ropucha z takim uporem. Trzeba to jednak przetrzymać. Nie możemy ani na chwilę zostawić go bez opieki. Musimy się przy nim zmieniać, póki jego organizm nie zwalczy tej trucizny.

Podzielili między siebie dyżury. Co noc jedno ze zwierząt spało z Ropuchem w jego pokoju, we dnie zaś się zmieniali. Z początku Ropuch był bardzo przykry dla swych troskliwych opiekunów. W czasie ostrych ataków ustawiał w sypialni krzesła, robiąc z nich coś na kształt samochodu, siadał skulony na wysuniętym naprzód krześle, pochylał się i wpatrzony przed siebie wydawał dziwne, niesamowite odgłosy, a gdy paroksyzm dosięgał szczytu, wywracał koziołka i leżał rozciągnięty na ziemi pośród krzeseł, zupełnie spokojny na pozór.

Stopniowo jednak gwałtowne ataki stawały się coraz rzadsze, a przyjaciele dokładali starań, aby zwrócić jego myśli na inne tory; Ropuch jednak nie okazywał żadnego zainteresowania, stawał się coraz bardziej obojętny i zgnębiony.

Pewnego pogodnego ranka Szczur, na którego wypadł kolejny dyżur, poszedł na górę zwolnić Borsuka. Biedny Borsuk wiercił się niespokojnie, nie mogąc doczekać się chwili, kiedy będzie już mógł wyjść, aby rozprostować łapy na długim spacerze po puszczy, po zaroślach i swoich podziemiach

– Ropuch jeszcze w łóżku – powiedział do Szczura, gdy wyszli za drzwi. – Nie mogę nic z niego wydobyć; powtarza tylko: „O, zostawcie mnie w spokoju; nic mi nie potrzeba. Może później będę się czuł lepiej, może mi to z czasem minie; nie macie się czym niepokoić", i tak w kółko. A teraz zapamiętaj sobie, Szczurze: gdy Ropuch jest cichy i pokorny i odgrywa rolę bohatera z książki odpowiedniej na nagrodę dla uczniów ze szkółki niedzielnej, wówczas bywa najbardziej przebiegły. Na pewno coś knuje, znam go! A teraz już idę.

– Jak się dziś czujesz, stary – spytał wesoło Szczur, zbliżając się do łoża Ropucha.

Przez parę minut nie było odpowiedzi, aż wreszcie słaby głos wyrzekł:

– Dziękuję ci bardzo, kochany Szczurku. Jakiś ty dobry, że pytasz o moje zdrowie. Ale przede wszystkim powiedz, jak miewasz się ty i nasz kochany Kret?

– My miewamy się doskonale – odpowiedział Szczur i dodał niebacznie: – Kret idzie na spacer z Borsukiem, wrócą dopiero na drugie śniadanie. Spędzimy więc sobie przyjemnie ranek we dwójkę, dołożę wszelkich starań, aby cię rozerwać. A teraz bądź dzielny, wyskocz z łóżka; szkoda leżeć i gnuśnieć w taki piękny ranek.

– Drogi, poczciwy Szczurze – szepnął Ropuch. – Nie zdajesz sobie sprawy z mojego stanu, nie wiesz, jaki jestem daleki od „skoków". Ale nie turbuj się mną. Nie chcę być ciężarem dla moich przyjaciół; mam zresztą nadzieję, że to już nie potrwa długo.

– I ja mam tę nadzieję – potwierdził Szczur z przekonaniem. – Sprawiłeś nam dużo kłopotu, cieszę się, gdy słyszę, że się to skończy. Tak cudna pogoda, właśnie zaczyna się sezon żeglarski. Naprawdę, Ropuchu, to nieładnie z twojej strony, nie chodzi mi o kłopot, ale pomyśl tylko, co przez ciebie tracimy!

– Lękam się, że jednak wymawiasz mi kłopot, jaki wam sprawiam – rzeki Ropuch słabym głosem. – Ale rozumiem cię. Zmęczyła was opieka nade mną; nic w tym dziwnego. Nie powinienem was o nic prosić. Jestem dla was zawadą, wiem o tym.

– Jesteś zawadą – potwierdził Szczur. – Ale mimo to zapewniam cię, że nie żałowałbym dla ciebie żadnego trudu, gdybyś zechciał być rozsądnym zwierzęciem.

– Żebym był tego pewny – szepnął Ropuch jeszcze słabszym głosem – poprosiłbym cię, zapewne po raz ostatni... abyś jak najprędzej udał się do wioski – choć to już może za późno – i sprowadził mi doktora. Ale nie trudź się! To przecież kłopot. Może lepiej pozostawić wszystko na łasce losu.

– Na cóż tobie potrzebny lekarz? – spytał Szczur, podchodząc bliżej.

Ropuch był jakiś dziwnie wychudzony i leżał bardzo spokojnie, i głos miał słabszy, i w ogóle zachowywał się inaczej niż zwykle.

– Musiałeś chyba zauważyć ostatnimi czasy – szepnął Ropuch. – Ale nie... bo i po co? Gdy się coś zauważy, wypływa stąd konieczność poniesienia pewnych trudów. Jutro może powiesz sobie: „O, gdybym był wcześniej zwrócił na to uwagę! Gdybym był postarał się temu zaradzić". Ale nie, to przecież może sprawić kłopot. Nie ma o czym mówić. Zapomnij o mojej prośbie.

– Słuchaj no, stary – powiedział Szczur, który nie na żarty zaczynał się niepokoić. – Wezwę do ciebie doktora, jeżeli uważasz, że go potrzebujesz naprawdę. Ale nie zdaje mi się, aby z tobą było aż tak źle. Pomówmy o czym innym.

– Obawiam się, drogi przyjacielu – rzekł Ropuch ze smutnym uśmiechem – że „rozmowa" niewiele pomaga w podobnych wypadkach. Co prawda – jeśli o to chodzi – to i lekarz nie pomoże, lecz tonący brzytwy się chwyta. Ale, ale, jeśli już pójdziesz po doktora, czy nie zechciałbyś za jednym zamachem poprosić, aby wstąpił do mnie rejent? Strasznie mi przykro, że ci sprawiam jeszcze jeden kłopot, lecz o ile pamiętam, musisz przejść tuż obok jego drzwi. Oddałbyś mi tym wielką przysługę; bywają chwile – może powinienem raczej powiedzieć: bywa chwila – kiedy stajemy wobec przykrych obowiązków, a obowiązki te należy spełnić nawet ze szkodą dla wyczerpanego organizmu.

„Rejent. Ot musi z nim być naprawdę źle" – pomyślał wystraszony Szczur i opuścił spiesznie pokój, nie zapominając jednak zamknąć drzwi na klucz.

Za drzwiami stanął i zaczął się zastanawiać. Obaj jego przyjaciele byli daleko, nie miał więc się z kim naradzić.

„Ostrożność nie zawadzi – powiedział sobie po namyśle. – Zdarzało się nieraz, że Ropuch zupełnie bezpodstawnie imaginował sobie chorobę, ale nie słyszałem nigdy, aby żądał przybycia rejenta. Jeśli mu naprawdę nic nie jest, doktor mu wytłumaczy, że jest osłem, i doda mu odwagi; w każdym razie coś się na tym zyska. Wykonanie tego zadania, nie zabierze mi wiele czasu" – i Szczur pobiegł do wsi, aby spełnić miłosierny uczynek.

Ropuch, który wyskoczył lekko z łóżka, gdy tylko posłyszał przekręcenie klucza w zamku, wyglądał niecierpliwie oknem, póki Szczur nie znikł przy końcu alei wjazdowej, po czym, śmiejąc się serdecznie, przywdział, jak tylko mógł najprędzej, najszykowniejsze z ubrań znajdujących się pod ręką i wyładował kieszenie drobnymi pieniędzmi, które wyjął z szufladki w toaletce. Następnie związał prześcieradła zdjęte z łóżka i umocował jeden koniec zaimprowizowanego sznura do środkowego słupa w pięknym oknie z epoki Tudorów, stanowiącym ozdobę sypialni, wydostał się na parapet, ześliznął się zgrabnie na ziemię i poszedł z lekkim sercem w przeciwnym kierunku niż Szczur, pogwizdując wesoło.

Drugie śniadanie nie było miłe dla biednego Szczura. Borsuk i Kret powrócili wreszcie i musiał świecić przed nimi oczami, opowiadając swoją żałosną i nieprzekonywającą historię. Można sobie łatwo wyobrazić ironiczne, żeby nie powiedzieć brutalne, komentarze Borsuka, toteż nie będziemy się nad nimi rozwodzili. Lecz Szczur stwierdził z bólem serca, że nawet Kret, choć w miarę możności trzymał jego stronę, nie oszczędził mu uwagi:

– Ale się dałeś nabrać, Szczurku, i to Ropuchowi.

– Tak to sprytnie zrobił – tłumaczył się zgnębiony Szczur.

– Za to ty nie okazałeś sprytu – przyciął mu ostro Borsuk. – Ale gadanina tu nie pomoże. Umknął nam na razie. A najgorzej, że to, co uważa za swoją mądrość, wbije go w szaloną pychę i może go doprowadzić do popełnienia jakiegoś szaleństwa. Jedyną dobrą stroną tej historii jest to, że nie potrzebujemy marnować drogich chwil na stróżowanie. Przez jakiś czas będziemy jednak wracali na noc do Ropuszego Dworu. Możemy tu lada chwila ujrzeć Ropucha na noszach lub między dwoma policjantami.

Tak mówił Borsuk nieświadomy, co przyszłość przyniesie ani ile upłynie wody – i to mętnej – nim Ropuch zasiądzie znowu w dziedzicznym Ropuszym Dworze.

Tymczasem Ropuch, wesoły i lekkomyślny, kroczył szybko gościńcem w odległości kilku mil od domu. Z początku kluczył bocznymi dróżkami przez pola i kilkakrotnie zmieniał kierunek dla zmylenia pościgu. Lecz teraz czuł, że go już nie złapią, słońce uśmiechało się jasno do niego i cała przyroda wtórowała chórem samochwalczej pieśni, rozbrzmiewającej w sercu Ropucha. Niemal tańczył na drodze z radości i pychy.

„Udał mi się kawał! – mówił sobie, chichocząc. – Przeciwstawiłem mózg brutalnej przemocy i mózg zwyciężył – tak być powinno. Biedny, stary Szczur. Oj, oberwie on, oberwie, gdy wróci Borsuk. Zacny chłop z tego Szczura, ma wiele zalet, ale brak mu inteligencji i jest bardzo źle wychowany. Muszę go kiedy wziąć w obroty, zobaczę, czy się da co z niego zrobić".

Ropuch, całkowicie pochłonięty zarozumiałymi myślami tego rodzaju, posuwał się naprzód z podniesionym łebkiem, aż dotarł do miasteczka. Gdy zobaczył szyld „Pod Czerwonym Lwem" wiszący w poprzek głównej ulicy, przypomniał sobie, że jeszcze nie jadł dziś śniadania i że jest okropnie głodny po długim spacerze. Wszedł do zajazdu, kazał sobie podać najlepsze śniadanie, jakie można było dostać bez czekania, i zasiadł przy stole.

Był już mniej więcej w połowie śniadania, kiedy drgnął, a potem zaczął drżeć na całym ciele, od ulicy doszedł go dźwięk, aż nadto dobrze mu znany. „Poop-poop" rozlegało się coraz bliżej, samochód skręcił na podwórze zajazdu i stanął. Ropuch chwycił za nogę od stołu, aby opanować wzruszenie. Po chwili do kawiarni weszło całe towarzystwo; wszyscy byli zgłodniali, rozmowni, weseli i rozprawiali o przygodach tego ranka oraz o zaletach auta, które dowiozło ich tu bez szwanku. Ropuch słuchał jakiś czas, pilnie nadstawiając uszu; wreszcie nie mógł już dłużej wytrzymać. Wyśliznął się cicho z sali, zapłacił w barze rachunek, a gdy tylko znalazł się na dworze, udał się wolno okólną drogą na dziedziniec.

„Przecież nie ma w tym nic złego – pomyślał sobie – jeśli tylko rzucę okiem na samochód".

Auto stało na środku podwórza, nikt go nie pilnował, ponieważ cała służba była na obiedzie. Ropuch okrążył wóz, oglądał, krytykował i rozmyślał głęboko.

„Ciekawa rzecz – powiedział sobie po chwili – ciekawa rzecz, czy ten silnik da się szybko zapalić".

Niebawem, nie wiedząc sam, jak to się stało, miał w ręku korbę i kręcił nią. Gdy posłyszał znany odgłos, wróciła dawna namiętność i całkowicie opanowała jego ciało i duszę. Jak we śnie znalazł się na miejscu szofera; jak we śnie włączył bieg, okrążył podwórze i ruszył za bramę; jak we śnie stracił chwilowo poczucie dobra i zła i wszelką obawę przed następstwami tego kroku. Zwiększył szybkość, a gdy samochód w pędzie połknął ulicę i wyskoczył na otwartą przestrzeń szosy, Ropuch nie chciał nic wiedzieć poza tym, że jest Ropuchem, Ropuchem w najlepszej formie, w największym rozkwicie. Ropuchem-piratem drogowym, Ropuchem, który zatrzymuje wszelki ruch, Ropuchem-Postrachem Szos, przed którym wszystko musi ustąpić lub obrócić się w proch, zapaść w wiekuistą noc. Nucił w pędzie, a samochód odpowiadał mu potężnym warkotem; pożerał kilometry, pędząc w niewiadomym kierunku, poddając się swemu instynktowi; przeżywał beztroski, najpiękniejszy dzień swego życia, nie myśląc wcale o tym, co go czeka.

* * *

– Według mnie – zauważył ze złością przewodniczący ławy sędziowskiej – cała trudność tej sprawy, skądinąd bardzo jasnej, leży w tym, abyśmy potrafili skutecznie dopiec temu niepoprawnemu łotrowi i zatwardziałemu brutalowi, który kurczy się przed nami ze strachu na ławie oskarżonych. Zastanówmy się: oskarżono go – co stwierdzają zresztą najwiarygodniejsze świadectwa – po pierwsze, o kradzież cennego samochodu; po drugie, o prowadzenie go bez najmniejszego względu na bezpieczeństwo publiczne; i po trzecie, o ordynarne znieważenie wiejskiej policji. Panie sekretarzu, może pan nam powie, jaki najcięższy wymiar kary możemy zastosować do każdego z tych przewinień? Oczywiście bez uwzględnienia okoliczności łagodzących, gdyż te nie istnieją.

Sekretarz podrapał się piórem w nos.

– Zdaniem niektórych ludzi kradzież samochodu stanowi tu największe przestępstwo – oświadczył – i tak jest w rzeczywistości. Lecz znieważenie policji pociąga za sobą bezsprzecznie najwyższy wymiar kary – i tak być powinno. Powiedzmy, że za kradzież oskarżony otrzyma rok więzienia, co jest karą umiarkowaną; i trzy lata za wariacką jazdę, co jest karą łagodną; i piętnaście lat za znieważenie policji – dość gwałtowne, sądząc z zeznań świadków, nawet jeśli uwierzymy tylko w jedną dziesiątą część tego, co nam mówiono (taki jest system, którego ja się trzymam); po dodaniu tych cyfr uzyskamy, jeśli się nie mylę, liczbę dziewiętnastu lat...

– Doskonale! – wtrącił przewodniczący.

– ...Niech więc panowie zaokrąglą tę cyfrę do dwudziestu lat i wszystko będzie w porządku – zakończył sekretarz.

– Świetna myśl! – powiedział przewodniczący z uznaniem – Oskarżony, opanuj się i postaraj się stać prosto. Tym razem otrzymasz dwadzieścia lat. Pamiętaj jednak, jeśli znowu staniesz przed nami za jakiekolwiek przewinienie, będziemy musieli odnieść się do ciebie z całą surowością!

Brutalni stróże prawa rzucili się na nieszczęsnego Ropucha, zakuli go w kajdany i wyprowadzili z gmachu sądowego, nie zważając na jego błagania, krzyki i protesty. Wlekli go przez rynek, gdzie swawolna gawiedź, zawsze surowa dla schwytanego zbrodniarza, a współczująca i pomocna dla podejrzanego o zbrodnie, powitała Ropucha drwinami i wyzwiskami, obrzucając go marchwią. Dzieci gwizdały i krzyczały, a niewinne ich twarzyczki wyrażały radość, którą sprawia im zawsze widok dżentelmena w opałach. Minęli zwodzony most dudniący głucho; przeszli pod jeżącymi się od gwoździ wrzeciądzami, pod groźną bramą ponurego zamczyska, którego pradawne wieżyce strzelały wysoko nad głową; minęli kordegardę pełną uśmiechniętych drwiąco żołdaków; minęli szyldwachów pokasłujących sarkastycznie – kaszel bowiem jest najwyższą oznaką pogardy i nienawiści, na jaką może sobie pozwolić szyldwach; wkroczyli na kręcone schody zużyte przez wieki, przechodząc obok zbrojnych mężów w hełmach i stalowych pancerzach, mężów rzucających groźne spojrzenia spod przyłbicy; przemierzali podworce, gdzie brytany na wyprężonych smyczach wyrywały się ku nim i machały łapami w powietrzu, chcąc ich dosięgnąć; mijali wiekowych strażników, którzy oparłszy halabardy o mur drzemali nad mięsiwem i dzbanami ciemnego piwa. Szli i szli przez izby tortur, przez korytarze prowadzące na szafot, aż podeszli do drzwi najokropniejszego z podziemi, znajdującego się w samym sercu najbardziej utajonego lochu. Przystanęli wreszcie tam, gdzie siedział sędziwy dozorca więzienny, bawiąc się pękiem olbrzymich kluczy.

– Oddsbodikis! – rzekł sierżant policji, zdejmując hełm i ocierając pot z czoła. – Zbudź się, stary nicponiu, przejmij od nas tego oto nędznika Ropucha, straszliwego zbrodniarza, niezrównanego w wybiegach i sprycie. Czuwaj nad nim i strzeż go najlepiej jak potrafisz; a zapamiętaj sobie dobrze, siwobrody, gdyby się zdarzyło coś nieprzewidzianego, odpowiesz nam za to starym łbem!

Dozorca skinął ponuro głową i położył pomarszczoną rękę na ramieniu nieszczęsnego Ropucha. Zardzewiały klucz zgrzytnął w zamku, wielkie drzwi zatrzasnęły się i Ropuch został więźniem najgłębszego lochu w najlepiej strzeżonej wieży najwarowniejszego zamku, jak Anglia długa i szeroka.

Głos piszczałki o świcie

Mysikrólik ukryty na brzegu rzeki wyśpiewywał swą cichutką piosenkę. Choć było już po dziesiątej, na niebie widniało jeszcze zapóźnione światło minionego dnia. Posępny żar popołudniowych godzin załamał się i rozproszył pod dotknięciem chłodnych palców krótkiej letniej nocy.

Kret leżał na brzegu rzeki; nie ochłonął jeszcze po spiekocie, której od świtu aż do zachodu słońca nie łagodziła żadna chmurka, i oczekiwał powrotu przyjaciela. Pływał dziś po rzece z kilkoma kolegami, bo nie chciał Szczurowi przeszkadzać w dawno umówionej wizycie u Wydry, a kiedy powrócił, zastał dom pusty, ciemny i ani śladu Szczura, który najwidoczniej zasiedział się u starej przyjaciółki – więc Kret rozłożył się na chłodnych liściach szczawiu i rozpamiętywał miniony dzień i jego wydarzenia, a wszystkie te wydarzenia były przyjemne.

Po chwili posłyszał szelest spalonej trawy pod lekkimi krokami Szczura.

– Aa, jaki miły chłodek! – rzekł Szczur i siadł, patrząc w zamyśleniu na rzekę; był milczący i zafrasowany.

– Zostałeś oczywiście na kolację? – spytał Kret po chwili.

– Musiałem zostać – odparł Szczur. – Nawet słyszeć nie chcieli, abym wyszedł przed kolacją; wiesz, jacy są gościnni. Starali się zabawiać mnie wesoło, jak długo byłem u nich. Ale miałem wciąż wrażenie, że popełniam nietakt, bo widziałem, jacy są zatroskani, choć starali się to ukryć przede mną. Kreciku, lękam się, że ich spotkało nieszczęście. Mały Grubasek znowu zaginął, a wiesz, jak matka go kocha, choć o tym nie mówi.

– Co, ten dzieciak? – powiedział Kret swobodnie. – Nie ma się czym turbować, po prostu się zawieruszył. Wciąż gdzieś łazi i ginie, i znów się odnajduje. Pasjami lubi przygody, a nigdy nie spotkało go nic złego. Znają go i lubią w całej okolicy, jak zresztą i starą Wydrę; możesz być pewien, że odnajdzie go jakieś zwierzę i przyprowadzi z powrotem w dobrym zdrowiu. Przecież i myśmy znaleźli go kiedyś o kilka mil od domu, był wesolutki i wcale nie stracił animuszu.

– Tak, ale tym razem sprawa przedstawia się gorzej – rzekł Szczur z powagą. – Nie ma go już od kilku dni. Wydry przeszukały całą okolicę wzdłuż i wszerz i nie znalazły po nim żadnego śladu. Rozpytywały wszystkie zwierzęta na kilka mil wokoło, ale nikt nic o nim nie wie. Wydra jest ogromnie niespokojna, choć się do tego nie przyznaje. Powiedziała mi, że mały Grubasek nie umie jeszcze dobrze pływać, i domyśliłem się, że ma śluzę na myśli. Bardzo dużo wody spływa tam jeszcze mimo późnej pory roku, a malec był zawsze śluzą oczarowany. Poza tym są jeszcze pułapki, wnyki – wiesz przecie – Wydra nie denerwowałaby się bez powodu, a jest zdenerwowana. Kiedy odchodziłem, wyszła ze mną – powiedziała, że potrzebuje zaczerpnąć trochę powietrza, że chce rozprostować łapy. Ale dobrze widziałem, że nie o to jej chodzi. Wypytywałem ją i wreszcie udało mi się wydobyć tajemnicę. Chce spędzić noc na straży przy brodzie. Wiesz, tam gdzie dawniej, w zamierzchłych czasach, był bród, zanim zbudowano most.

– Znam ten bród – odparł Kret. – Ale dlaczego Wydra postanowiła w tym miejscu stróżować?

– Widzisz, podobno obok brodu, na płytkim żwirowym cyplu przy brzegu, udzieliła Grubaskowi pierwszej lekcji pływania – mówił dalej Szczur. – Tam także uczyła go łowić ryby; tam mały Grubasek złapał pierwszą rybę w życiu i bardzo się tym pysznił. Malec pokochał ten bród. Wydra ma nadzieję, że jeśli będzie wracał do domu z miejsca, gdzie się obecnie znajduje – o ile w ogóle biedaczek jeszcze jest na świecie – przyjdzie może do brodu, który tak lubił; albo może sobie o nim przypomni, jeśli tamtędy będzie przechodził, zatrzyma się i zacznie się bawić. Więc Wydra chodzi tam co noc i czuwa – na wszelki wypadek, rozumiesz – czeka na los szczęścia.

Zamilkli obydwaj, myśląc o tym samym – o samotnym, zrozpaczonym zwierzątku, które, zaczajone przy brodzie, czuwa i czeka przez całą długą noc – na wszelki wypadek.

– Cóż, trzeba nam pomyśleć o powrocie do domu – odezwał się Szczur po chwili, ale się nie ruszył.

– Szczurze – rzekł Kret. – Nie mogę wrócić ot, tak sobie do domu, iść spać i nic nie robić. Wątpię, abyśmy mogli być użyteczni, ale wyciągnijmy łódkę i popłyńmy w górę rzeki. Za jakąś godzinę wzejdzie księżyc, a wówczas będziemy szukali Grubaska wedle sił i możności. Bądź co bądź lepsze to niż iść spać i nic nie robić.

– I mnie przyszło na myśl to samo – powiedział Szczur. – W każdym razie taka noc nie nadaje się do spania. Świt już niedaleko, a może o świcie uda nam się zebrać jakieś wiadomości o Grubasku od zwierząt, które wcześnie wstają.

Wyciągnęli więc czółno, a Szczur zaczął wiosłować z wielką ostrożnością. Na środku rzeki widniał wąski, jasny szlak, w którym niebo odbijało się niewyraźnie; lecz gdzie tylko padał na wodę cień brzegu, krzaków czy drzew, ów cień zdawał się niczym nie różnić od brzegu rzeki i Kret musiał sterować bardzo uważnie. Noc była ciemna, jakby wyludniona, a mimo to słyszało się wciąż ciche odgłosy, śpiewy, pogwarki i szmery świadczące o istnieniu pracowitych istot, które nie śpią i krzątają się przez całą noc, pracując zgodnie ze swoim przeznaczeniem i wedle swego powołania, póki nie padną pierwsze promienie słońca, które pozwolą im się udać na dobrze zasłużony odpoczynek. Odgłosy wody były także wyraźniejsze niż w dzień; bulgotanie i pluski wydawały się bliższe i bardziej niespodziane; co chwila któreś ze zwierzątek wzdrygało się, myśląc, że słyszy głos wzywający pomocy.

Linia horyzontu, zarysowana ostro na tle nieba, odcinała się w jednym miejscu niby czarna kreska na srebrzystej fosforescencji, która promieniowała coraz wyżej, aż wreszcie księżyc wzniósł się powoli i majestatycznie nad skrajem wyczekującej ziemi, odczepił się od horyzontu i popłynął, niczym niepowstrzymany. Zwierzątka mogły znowu rozróżnić płaszczyzny rozległych łąk i ciche ogrody, i samą rze-

kę odsłoniętą łagodnie od brzegu do brzegu, odartą z tajemnic i grozy, promienną jak za dnia, a jednak zupełnie inną.

Znane zakątki witały ich w nowym stroju – jakby skryły się w cieniu, aby przywdziać niewinną szatę, i powróciły cicho, uśmiechnięte, oczekując z nieśmiałością, czy pozna je kto w tym przebraniu. Kret ze Szczurem przymocowali łódkę do pnia wierzby, wylądowali w tym milczącym, srebrnym królestwie i przeszukali cierpliwie płoty, dziuple w drzewach, tunele, kanały, rowy i wyschłe łożyska, po czym wsiedli znowu do czółna, przejechali na drugą stronę i posuwali się pod prąd. Jasny księżyc na bezchmurnym niebie – choć taki daleki – robił, co mógł, aby im ułatwić poszukiwania. Wybiła wreszcie jego godzina, opuścił się niechętnie ku ziemi, porzucił ich, a nad polami i rzeką zapanowała znów tajemniczość.

Powoli coś się zaczęło odmieniać: widnokrąg pojaśniał, pole i drzewa stały się bardziej wyraźne, nabrały innego wyglądu – pozbyły się tajemniczości. Raptem ćwierknął ptak i umilkł, a lekki wietrzyk zerwał się, szeleszcząc wśród trzcin i sitowia. Szczur siedział przy sterze; wtem wyprostował się i zaczął nasłuchiwać z wytężoną uwagą. Kret, który łagodnymi uderzeniami wioseł ledwie poruszał łódź i rozglądał się pilnie po brzegu, spojrzał z ciekawością na Szczura.

– Rozwiało się – westchnął Szczur, opadając na siedzenie. – A takie było piękne, dziwne i niepowszednie! Bodajbym nigdy nie był tego posłyszał, jeśli miało się tak prędko skończyć, gdyż roznieciło we mnie tęsknotę, która jest bólem; wszystko wydaje mi się bez wartości, pragnę tylko raz jeszcze posłyszeć ten dźwięk i słuchać go – słuchać wiecznie. Jest! Jest znowu! – wykrzyknął, nasłuchując pilnie.

Oczarowany, jakby pogrążony w zachwyceniu, milczał długo.

– Teraz rozpływa się. Znowu nie mogę nic pochwycić – rzekł po chwili. – O Krecie, jakież to piękne! Jak wesoło brzmi zew dalekiej piszczałki, ledwie uchwytny, a jasny i radosny. Nigdy mi się nawet nie śniło o takiej muzyce. Zew w niej zawarty nęci mnie silniej nawet niż piękno melodii.

Wiosłuj, Krecie, wiosłuj żywo! Ta melodia jest dla nas przeznaczona, a wezwanie odnosi się do nas.

Zdumiony Kret wiosłował posłusznie.

– Ja nic nie słyszę – rzekł. – To tylko wiatr szumi wśród szuwarów, trzcin i wikliny.

Szczur nic nie odrzekł; może nawet nie słyszał słów Kreta, był zachwycony, drżący, trwał jakby w ekstazie. Wszystkimi jego zmysłami owładnęła nieznana dotąd boska siła, która pochwyciła jego bezbronną duszę, podrzucając ją i kołysząc; miał uczucie, że jest słabym, lecz szczęśliwym dzieckiem otoczonym silnym ramieniem.

Kret milczał i wciąż wiosłował, dopłynęli niebawem do miejsca, gdzie od rzeki oddzieliła się z jednej strony długa łacha. Szczur, który już dawno wypuścił ster, wskazał nieznacznym ruchem łebka kierunek łachy. Ranek już świtał i zwierzęta rozróżniały już teraz kolory kwiatów, które zdobiły brzeg wody niby drogie kamienie.

– Teraz słyszę głos wyraźnie i blisko! – wykrzyknął Szczur z radością. – Chyba i ty już słyszysz! Ach, nareszcie widzę, że słyszysz!

Kret, jakby nagle przeobrażony, bez tchu, przestał wiosłować; spłynęła na niego fala melodii o radosnym brzmieniu, uniosła go i opanowała całkowicie. Zobaczył łzy na policzkach przyjaciela i spuścił łebek w pełnym zrozumieniu.

Stali czas jakiś na miejscu, muskani przez liliowe smółki, rosnące na brzegu łachy; potem wyraźne, nakazujące wezwanie idące w parze z upojną melodią narzuciło wolę Kretowi; pochylił się znów machinalnie nad wiosłami. Światło dnia było coraz silniejsze, lecz ptaki nie śpiewały jak zwykle o wschodzie słońca; poza niebiańską muzyką panowała osobliwa cisza.

Gdy sunęli naprzód, bujna trawa łąk po obu stronach rzeki wydawała się im dziwnie żywa i zielona. Zwierzątka nie widziały nigdy tak świeżych róż, tak bujnych wierzbówek i spirei o tak silnym, przenikliwym zapachu. A potem szum śluzy zagłuszył wszystko i poczuli, że zbliżają się nieuchronnie do tajemniczego kresu swej wędrówki.

Wielka śluza obejmowała łachę od brzegu do brzegu lśniącym ramieniem zielonej wody i spienionym półkolem iskrzących się błysków; mąciła spokojną powierzchnię łachy wirem odmętów i ruchomymi płatami piany, zagłuszając wszystkie inne dźwięki poważnym, kojącym dudnieniem. Pośrodku łożyska, w migotliwym uścisku śluzy, spoczywała wysepka gęsto zarośnięta wierzbiną, srebrną brzozą i olchą. Skryta, zatajona, lecz świadoma swego doniosłego znaczenia wysepka osłaniała powierzoną sobie tajemnicę, strzegąc jej zazdrośnie, aż wybije godzina, kiedy zjawią się powołani i wybrani.

Zwierzątka minęły skłębione wody wolno, lecz bez wątpliwości i wahania, jakby w uroczystym oczekiwaniu, i przymocowały łódkę do brzegu wysepki. Milcząc węszyły drogę i brnęły przez kwiaty, rozkwitłe trawy i zarośla prowadzące na polankę, aż stanęły wreszcie na cudownie zielonej łące, okolonej sadem, gdzie rosły dzikie jabłonie, czereśnie i ciernie.

– O, tu jest to miejsce! Stąd płynęła moja wyśniona pieśń! – szepnął Szczur, jakby w zachwyceniu. –Tu, na tej świętej polance, tu z pewnością znajdziemy Jego.

Raptem ogarnął Kreta ogromny lęk; ów lęk sprawił, że Kret poczuł dziwną słabość, pochylił łebek, a łapki jakby wrosły mu w ziemię. Nie był to żaden paniczny strach – Kret czuł się nawet dziwnie szczęśliwy i spokojny – lecz ów lęk był druzgocący; choć Kret nic nie dostrzegł, zdawał sobie sprawę, że takie uczucie oznacza bliskość jakiejś nieziemskiej istoty. Odwrócił się z trudem, szukając przyjaciela, i ujrzał obok siebie Szczura rozpłaszczonego na ziemi, drżącego gwałtownie. Na otaczających drzewach, gdzie siedziało moc ptaków, panowała wciąż niczym niezmącona cisza, a światło stawało się coraz jaśniejsze.

Kret nie byłby może ośmielił się podnieść oczu, gdyby nie to, że dźwięk piszczałki, choć przytłumiony, wzywał wciąż nieodparcie i nakazująco, Kret nie miał siły oprzeć się temu dźwiękowi, nawet gdyby musiał przypłacić życiem spojrzenie oczyma śmiertelnika na rzeczy niepojęte. Usłuchał więc cały drżący i podniósł pokorny łebek; wówczas w blasku zupełnie już wyraźnego świtania, gdy przyroda zapłoniona mnóstwem fantastycznych barw zdawała się powstrzymywać dech w oczekiwaniu tego, co miało nastąpić, spojrzał w oczy Przyjaciela i Dobroczyńcy. Zobaczył zagięte w tył różki, błyszczące w coraz wyraźniejszym świetle dnia; ujrzał zakrzywiony nos między dobrodusznymi oczyma, co spoglądały żartobliwie w dół na zwierzątka, i podnoszące się w półuśmiechu kąciki ust wśród zarostu, widział ruchliwe muskuły ramienia, które spoczywało na szerokiej piersi, długą, giętką dłoń trzymającą jeszcze piszczałkę, tylko co odjętą od półotwartych ust, zobaczył wspaniały zarys włochatego ciała, rozłożonego z majestatyczną swobodą na murawie; zobaczył wreszcie maleńkiego, krągłego tłuściocha malca-wydrę, wtulonego między kopyta półboga i śpiącego mocno z zupełnym spokojem i zadowoleniem. Wszystko to Kret ogarnął wzrokiem na tle porannego nieba, przez krótką, niewymowną chwilę, która mu dech zaparła, a patrząc czuł, że żyje – a czując, że żyje, zdumiewał się.

– Szczurze! – wyjąkał wreszcie zdyszanym szeptem, drżąc cały. – Czy ty się boisz?

– Czy ja się boję? – mruknął Szczur, a oczy miał przepełnione bezbrzeżną miłością. – Bać się! Jego? Nigdy, przenigdy! A jednak, Krecie, boję się!

Po czym oba zwierzątka przypadły do ziemi i pochyliły łebki, oddając cześć bożkowi.

Wspaniała, kulista, złota tarcza pokazała się nagle na nieboskłonie naprzeciwko zwierzątek; pierwsze słoneczne promienie strzeliły przez łąki zalane wodą i uderzyły wprost w oczy obu przyjaciół, oślepiając ich. Kiedy spojrzeli znów, wizja znikła, a powietrze wypełniał śpiew ptaków witających świt.

Zwierzątka rozglądały się błędnie w milczącej rozpaczy, która wzmagała się w miarę, jak powoli uświadamiały sobie wszystko, co było im dane ujrzeć i co utraciły. Wtem kapryśny wietrzyk podniósł się lekko znad powierzchni wody, zakołysał osikami, strząsnął rosę z róż i delikatnie, pieszczotliwie musnął pyszczki zwierzątek, a wraz z jego łagodnym dotknięciem przyszło natychmiastowe zapomnienie. Gdyż niepamięć to ostatni i najcenniejszy dar, jakim dobrotliwy półbóg obdarza pieczołowicie tych, którym się objawił.

On sobie nie życzy, aby wzrastała groza wspomnień, tłumiąc radość i wesele, aby te wspomnienia prześladowały małe zwierzątka, którym dopomógł w potrzebie, aby zaciążyły nad całym przyszłym ich życiem. On pragnie zapewnić im dalszą szczęśliwość i beztroskę.

Kret przetarł oczy i spojrzał na Szczura, który rozglądał się wkoło ze zdumieniem.

– Przepraszam cię, mówiłeś coś, Szczurku? – spytał.

– O ile mi się zdaje – rzekł wolno Szczur – mówiłem tylko, iż to jest właśnie miejsce, gdzie moglibyśmy odnaleźć Grubaska. Ależ spójrz tylko, Kreciku, to on, to mały Grubasek! – i z radosnym okrzykiem podbiegł do wyderki.

Lecz Kret stał przez chwilę w miejscu, zatopiony w myślach, rzekłbyś, ktoś zbudzony nagle z pięknego snu, ktoś, kto męczy się, aby ów sen wskrzesić w pamięci, i nie może sobie nic przypomnieć poza nieokreślonym wrażeniem piękna – niewymownego piękna! Wreszcie i to wrażenie niknie, a marzyciel przyjmuje z goryczą twardą, zimną rzeczywistość i wszystkie jej ciężary. Kret po krótkiej walce ze swą pamięcią potrząsnął smutnie łebkiem i podążył za Szczurem.

Grubasek zbudził się, piszcząc wesoło i łasząc się radośnie na widok przyjaciół matki, którzy często się z nim bawili. Wkrótce jednak wyraz ukontentowania znikł z pyszczka malca, zaczął biegać w kółko, skomląc błagalnie. Dziecko, które zasnęło z zadowoleniem w ramionach niani, a zbudziło się porzucone w obcym miejscu, szuka po wszystkich kątach i szafach, biega z pokoju do pokoju, a w jego sercu wzbiera cicha rozpacz; tak samo Grubasek przeszukiwał całą wysepkę, węszył uparcie i niezmordowanie, aż wreszcie nadeszła okropna chwila, kiedy dał za wygraną – usiadł i gorzko zapłakał.

Kret podbiegł szybko, aby pocieszyć maleństwo, lecz Szczur ociągał się, patrzył długo z niepewnością na głębokie ślady kopyt widniejące na murawie.

– Tu... było... jakieś... wielkie... zwierzę... – szepnął wolno i z rozwagą, stał długo i myślał, dziwnie jakoś poruszony.

– Chodźże, Szczurku! – zawołał Kret. – Pamiętaj, że biedna Wydra czeka tam przy brodzie.

Grubasek pocieszył się szybko na myśl o miłej przejażdżce po rzece prawdziwym czółnem pana Szczura; obaj przyjaciele zaprowadzili malca na brzeg, umieścili go między sobą w bezpiecznym miejscu na dnie łodzi i popłynęli w dół łachy.

Słońce było już teraz wysoko i mocno przygrzewało, ptaki śpiewały namiętnie i żywo, a kwiaty rosnące na obu brzegach uśmiechały się i kiwały do nich, ale barwy ich jakby przygasły – tak się przynajmniej zwierzątkom zdawało – nie jaśniały takim bogactwem kolorów jak kiedyś... niedawno... gdzieś... ale gdzie?

Gdy dotarli do głównego łożyska rzeki, skierowali łódź pod prąd, płynąc do miejsca, w którym, jak wiedzieli, przyjaciółka ich, Wydra, stała samotnie na czatach. Kiedy podpłynęli ku dobrze znanemu brodowi, Kret przybił do brzegu, wysadzili na ląd małego Grubaska, postawili go na łapki obok ścieżki wydeptanej przez holowników, kazali mu iść wprost przed siebie, poklepawszy go przyjaźnie po plecach, i odbili na środek rzeki. Śledzili zwierzątko, które toczyło się po ścieżce, dumne i zadowolone, czuwali nad nim aż do chwili, kiedy Grubasek podniósł nagle mordkę i zaczął niezgrabnie kłusować, przypadając do ziemi i przeraźliwym skomleniem dając znać, że kogoś poznaje. W górze rzeki spostrzegli Wydrę, która wyglądała z trawy sprężona i czujna, warując z milczącą cierpliwością, i posłyszeli jej zdumione, radosne poszczekiwanie, gdy jednym susem skoczyła ponad wikliną na ścieżkę. Kret silnym pociągnięciem wiosła zawrócił łódź; po szczęśliwie zakończonych poszukiwaniach nurt poniósł ich wedle swej woli w dół rzeki.

– Czuję się dziwnie znużony, Szczurze – rzekł Kret, pochylając się nad wiosłami, gdy prąd unosił czółno. – Powiesz może, że to skutek nieprzespanej nocy; ale co to dla nas znaczy? O tej porze roku zdarza nam się nie spać przez trzy noce na tydzień. Nie, mam wrażenie, że przeżyłem coś bardzo ciekawego, a zarazem groźnego i to coś w tej chwili minęło. Przecież nie stało się nic nadzwyczajnego.

– Może jednak zaszło coś, co było zdumiewające i piękne, i wspaniałe – szepnął Szczur, opierając się na siedzeniu i przymykając oczy. – Mam to samo uczucie, co ty, Krecie; jestem śmiertelnie zmęczony, ale to nie jest zmęczenie fizyczne. Szczęściem, płyniemy z prądem, który niesie nas do domu. Jak to przyjemnie czuć znowu słońce przenikające aż do kości i słyszeć wiatr, co gra na trzcinach!

– Wiatr przypomina muzykę brzmiącą gdzieś w oddali – powiedział Kret, kiwając sennie łebkiem.

– Ja to samo myślałem – szepnął Szczur, rozmarzony i wyczerpany. – Muzykę taneczną, pełną rytmu, która płynie nieprzerwanie, ale są tam i słowa – te słowa pojawiają się i nikną – rozróżniam je czasami – a potem słyszę znów muzykę taneczną, a potem już nic, tylko cichy, łagodny szept trzcin.

– Słyszysz więcej ode mnie – powiedział Kret ze smutkiem. – Ja nie umiem pochwycić słów.

– Spróbuję ci je powtórzyć – rzekł cicho Szczur, który wciąż miał zamknięte oczy. – Słyszę słowa ciche, lecz wyraźne:

„Niech was nie nęka strach, – co zmienia radość w żal – Błysnę potęgą w potrzeby godzinie, – lecz pamięć o niej przeminie". Trzciny powtarzają z westchnieniem: „Przeminie, przeminie", słowa giną w szumie i szepcie. A teraz słyszę głos:

„By was omijał ból i rany, – odplątuję wnyki, rozluźniam kajdany. – Widzicie mnie przez okamgnienie – i daję znów zapomnienie". Bliżej ku trzcinom, Krecie! Kieruj łódkę bliżej! Trudno mi chwytać te słowa, coraz są cichsze.

„Nakarmię, pragnienie ugaszę – zbłąkanych dzieciątek waszych, – wskażę wam w lesie dróżkę – i złożę strzaskaną nóżkę. – Jak błyskawica minie objawienie – i przyjdzie znów zapomnienie". Bliżej, Krecie, bliżej! Nie, nic z tego. Gawędy trzcin zagłuszyły pieśń.

– Ale co znaczą te słowa – spytał zdumiony Kret.

– A bo ja wiem? – odparł Szczur z prostotą. – Powtarzałem ci je, w miarę jak mnie dochodziły. O, chwytam je znowu, tym razem jasno, wyraźnie! Nareszcie posłyszymy prawdę. Prawdę niezawodną, prostą – doskonałą.

– A więc wygłoś tę prawdę – rzekł Kret, którego sen zaczął morzyć w gorącym słońcu po kilku minutach cierpliwego oczekiwania.

Ale nie otrzymał odpowiedzi. Spojrzał i zrozumiał powód milczenia. Znużony Szczur spał mocno, z uśmiechem szczęścia na pyszczku; wyglądał, jakby wciąż jeszcze był zasłuchany.

Przygody Ropucha

Gdy Ropuch znalazł się w wilgotnym, zatęchłym lochu i uświadomił sobie, że ponura ciemność średniowiecznej twierdzy oddziela go od zewnętrznego świata, od słońca i gładko asfaltowanych dróg, gdzie ostatnimi czasy było mu tak dobrze i gdzie się tak zachowywał, jakby wszystkie gościńce Anglii należały wyłącznie do niego, rzucił się na ziemię, roniąc gorzkie łzy, i ogarnęła go czarna rozpacz.

– To koniec wszystkiego – mówił sobie – a w każdym razie koniec kariery Ropucha, co na jedno wychodzi; koniec przystojnego Ropucha, tak ogólnie lubianego, bogatego, gościnnego Ropucha, lekkomyślnego, dobrodusznego Ropucha. Czyż jest nadzieja, że mnie stąd kiedykolwiek wypuszczą – mówił sobie – mnie, którego słusznie uwięziono za bezczelną kradzież tak pięknego samochodu i za dosadne, wymyślne obelgi ciskane na tylu tłustych policjantów o rumianych policzkach? – Tu przerwało mu łkanie. – Jaki ja byłem głupi – mówił sobie – muszę teraz gnić w tej trumnie; aż zwierzęta, co chlubiły się, że mnie znają, zapomną nawet imienia Ropucha! O mądry, stary Borsuku! – mówił sobie. – O rozumny, inteligentny Szczurze i rozsądny Krecie! Jakże słuszne są wasze wywody, jaką głęboką posiadacie znajomość ludzi i rzeczy! O nieszczęsny, opuszczony Ropuchu!

Na podobnych utyskiwaniach spędzał przez kilka tygodni dnie i noce; nie przyjmował żadnych posiłków, chociaż sędziwy i ponury dozorca, wiedząc, że Ropuch ma dobrze wypchane kieszenie, napomykał często o wielu udogodnieniach, a nawet o artykułach zbytku, które można kazać przysłać spoza więzienia – za dobre pieniądze.

Ów dozorca miał córkę, ładną dziewczynkę o miękkim sercu; pomagała ona ojcu w wypełnianiu lżejszych obowiązków i ogromnie lubiła zwierzęta. Miała kilka srokatych myszy i ruchliwą wiewiórkę, biegającą wciąż w kółko, a prócz tego kanarka, którego klatka wisiała w dzień na gwoździu wbitym w masywny, więzienny mur – ku wielkiemu niezadowoleniu więźniów, którzy ucinali sobie poobiednią drzemkę – a w nocy, okryta zasłoną, stała na stole w saloniku. Dobra ta dziewuszka, litując się nad nieszczęsnym Ropuchem, odezwała się pewnego dnia do ojca:

– Ojcze! Nie mogę znieść widoku tego biednego, nieszczęśliwego zwierzątka; chudnie zastraszająco. Pozwól mi się nim zaopiekować, wiesz, jak lubię zwierzęta. Nauczę go jadać z ręki i służyć, i różnych innych rzeczy.

Dozorca odpowiedział córce, że może sobie robić z Ropuchem, co jej się żywnie podoba. Znudził mu się ten więzień dumny, skąpy i wiecznie nadąsany. Więc dziewczynka postanowiła rozpocząć ten dzień dobrym uczynkiem i zapukała do celi Ropucha.

– Pociesz się, Ropuchu – rzekła pieszczotliwym tonem, wchodząc. – Siądź prosto, obetrzyj oczy i bądź rozsądny; spróbuj zjeść cośkolwiek. Spójrz, przyniosłam ci część mojego własnego obiadu, prosto z kuchni.

Był to w samej rzeczy smakołyk nie lada; znakomity zapach z talerza przykrytego drugim talerzem rozchodził się po ciasnej celce. Ropuch pogrążony w smutku leżał rozciągnięty na podłodze; przenikliwa woń kapusty doszła do jego nozdrzy i podsunęła mu przelotną myśl, że życie może nie jest tak rozpaczliwe i puste, jak mu się zdawało. Jednak w dalszym ciągu jęczał i wierzgał nogami, i nie chciał dać się pocieszyć. Mądra dziewczynka wyszła, ale – jak to zwykle bywa – pozostał zapach kapusty i Ropuch w przerwach wśród łkań wdychał ten zapach i rozważał, i stopniowo przychodziły mu do łebka myśli nowe, natchnione: o rycerskości i poezji, i czynach, których można dokonać; o rozległych łąkach i pasących się w słońcu stadach krów smaganych wiatrem, o warzywnych ogrodach, o prostych rabatach, gdzie rosną zioła, o rozgrzanych nagietkach nawiedzanych przez liczne pszczoły, o miłym szczęku półmisków stawianych na stole w Ropuszym Dworze i o szuraniu krzesełkami, gdy wszyscy goście zasiadali do stołu. Powietrze w małej celce nabrało różowego odcienia. Ropuch zaczął myśleć o swych przyjaciołach, którzy na pewno potrafią coś dla niego zrobić, o adwokatach, którzy niewątpliwie zapaliliby się do jego sprawy, i o tym, co z niego za osioł, że nie wziął sobie choć paru obrońców, a wreszcie pomyślał o swej wielkiej mądrości i pomysłowości i o wszystkim, czego mógłby dokonać, gdyby tylko zechciał wysilić swój potężny umysł.

Gdy córka dozorcy wróciła po paru godzinach, niosła na tacy filiżankę pachnącej herbaty, z której unosiła się para, i talerz gorących, grubo pokrajanych grzanek, ładnie z obu stron przyrumienionych; masło kapało z nich wielkimi, złotymi kroplami niby miód z plastra. Zapach tych grzanek przemówił do Ropucha, i to gromkim głosem; opowiadał o ciepłych kuchniach, o śniadaniu w pogodne, mroźne ranki; o przytulnych kominkach w zimowe wieczory, gdy po skończonym spacerze opiera się o kratę nogi obute w pantofle; o mruczeniu sytych kotów i świergocie sennych kanarków. Wreszcie Ropuch podniósł się, usiadł, otarł oczy, wypił herbatę i zjadł grzanki, a niebawem zaczął rozwodzić się szeroko nad sobą, swymi zajęciami i swym domem, nad tym, jaką był ważną osobistością i jak wysoko cenili go przyjaciele.

Córka dozorcy zauważyła, że ten temat równie dobrze mu robi jak herbata, i zachęcała go, aby mówił dalej.

– Opowiedz mi o Ropuszym Dworze – rzekła. – Wydaje mi się, że musi być ładny.

– Ropuszy Dwór – powiedział dumnie Ropuch – jest to wspaniała pańska rezydencja, wprost nieporównana, niektóre jej części pochodzą z czternastego wieku, lecz ma wszelkie nowoczesne urządzenia: wodociągi, kanalizację. Leży o pięć minut drogi od kościoła, poczty i terenów golfowych i jest zupełnie odpowiednia...

– A niechże cię, Ropuchu! – roześmiała się dziewczynka. – Przecież ja nie chcę tego domu wynająć. Powiedz mi, jaki jest naprawdę. Ale poczekaj, przyniosę ci najpierw więcej grzanek i herbaty.

Wyszła i po chwili wróciła z pełną tacą. Ropuch rzucił się łapczywie na grzanki, a odzyskawszy swój zwykły humor, opowiedział dziewczynce o szopie na łódki, o stawie z rybami, o starym warzywnym ogrodzie okolonym murem, o chlewach, stajniach, gołębniku i kurnikach; o mleczarni, pralni, maglu (to się dziewczynce szczególnie spodobało), o jadalnej komnacie i o tym, jak się tam dobrze bawiono, gdy zwierzęta zasiadały wokoło stołu, a Ropuch w świetnym humorze śpiewał piosenki, opowiadał anegdoty i wodził rej w towarzystwie.

A potem dziewczynka wypytywała o przyjaciół Ropucha słuchając z wielkim zainteresowaniem, co jej opowiadał o nich, o tym, jak żyją i czym się zajmują. Oczywiście ani wspomniała o tym, jak bardzo lubi zwierzęta; była dość sprytna, aby rozumieć, że Ropuch czułby się tym bardzo dotknięty. Gdy mu życzyła dobrej nocy, napełniwszy przedtem dzbanek wodą i porządnie ułożywszy słomę, Ropuch był prawie równie zadowolony z siebie jak dawniej. Zanucił parę piosenek, które śpiewał u siebie na proszonych obiadach, skulił się na słomie i doskonale spędził noc, śniąc jak najprzyjemniejsze sny.

Ropuch i córka dozorcy prowadzili potem nieraz interesujące rozmowy i tak mijały ponure dni. Dziewczynka serdecznie współczuła Ropuchowi; uważała, że to naprawdę wstyd zamykać biedne zwierzątko w więzieniu za drobne – jak jej się zdawało – przewinienie. Ropuch w swojej zarozumiałości wyobrażał sobie oczywiście, że troskliwość jej zawdzięcza wzrastającemu uczuciu do niego. Żałował nawet, że dzieli ich taka przepaść społeczna, gdyż dziewczynka była ładna i najwidoczniej pełna głębokiego podziwu dla niego.

Pewnego ranka córka dozorcy była mocno zamyślona, odpowiadała na chybił trafił, a Ropuch spostrzegł, że nie zwraca należytej uwagi na jego dowcipy i błyskotliwe powiedzonka.

– Ropuchu – odezwała się po chwili – posłuchaj, proszę cię. Mam ciotkę, która jest praczką.

– No, no – odparł uprzejmie i łaskawie Ropuch – nic sobie z tego nie rób. Nie martw się. Ja mam kilka ciotek, dla których najodpowiedniejszym zajęciem byłoby pranie.

– Zamilknij choć na chwilę, Ropuchu – przerwało mu dziewczątko. – Za dużo mówisz, to twoja główna wada; ja coś obmyślam, a ty zawracasz mi głowę, powiedziałam ci już, że mam ciotkę praczkę; pierze bieliznę wszystkich więźniów w tej twierdzy – staramy się wszelkie tego rodzaju zarobki zatrzymać w rodzinie, rozumiesz przecie. Ciotka zabiera bieliznę w poniedziałki rano, a odnosi ją w piątki wieczorem. Dziś mamy czwartek. Otóż przyszła mi pewna myśl: jesteś bardzo bogaty – przynajmniej wciąż mnie o tym zapewniasz – a ona jest bardzo biedna. Kilka funtów nie sprawi ci różnicy, a dla niej stanowi bardzo wiele. Przypuszczam, że gdyby się do niej mądrze zabrać – jeśli się nie mylę, to wy, zwierzęta, użyłybyście w tym wypadku słowa „osaczyć ją" – mógłbyś dojść z nią do porozumienia; użyczyłaby ci swojej sukni, czepka i tak dalej i mógłbyś wydostać się z tej twierdzy w charakterze urzędowej praczki. Jesteś do ciotki bardzo podobny – szczególnie z figury.

– To nieprawda! – rzekł popędliwie Ropuch. – Jestem niezmiernie wysmukły – jak na żabę.

– I moja ciotka ma bardzo dobrą figurę – jak na praczkę. Ale niech tam! Rób sobie, co chcesz, ty wstrętne, pyszałkowate, niewdzięczne zwierzę. Litowałam się nad tobą, chciałam ci dopomóc.

– Dobrze, już dobrze. Bardzo ci dziękuję – powiedział spiesznie Ropuch. – Ale nie przypuszczasz chyba, aby pan Ropuch z Ropuszego Dworu mógł chodzić po świecie w przebraniu praczki!

– Niechże więc pan Ropuch zostanie w więzieniu! – zawołała energicznie dziewczynka. – Chciałbyś pewnie wyjechać stąd karetą i czwórką koni!

Zacny Ropuch był zawsze gotów uznać swoją winę.

– Jesteś dobrą i mądrą dziewczynką – przyznał – a ja jestem zaiste nadętą i głupią żabą. Przedstaw mnie łaskawie swojej szanownej ciotce, a nie wątpię, iż ta poczciwa dama porozumie się ze mną ku obopólnemu naszemu zadowoleniu.

Następnego wieczoru córka dozorcy wprowadziła do celi Ropucha swoją ciotkę, która odniosła jego czystą bieliznę zawiniętą w ręcznik. Staruszka została już zawczasu przygotowana do tego spotkania, a widok kilku sztuk złota wyłożonych przez Ropucha na stół zrobił swoje, tak że niewiele pozostało do omówienia. Ropuch otrzymał w zamian za swoje pieniądze perkalową suknię w rzucik, fartuch, chustkę i czarny, wyrudziały czepek. Staruszka postawiła tylko warunek, aby ją związano i rzucono w kąt z zakneblowanymi ustami. Za pomocą tego niezbyt przekonywającego wybiegu, popartego barwną opowieścią, którą już sama miała ułożyć, żywiła nadzieję utrzymania się na posadzie wbrew podejrzanym okolicznościom.

Ten jej pomysł zachwycił Ropucha; dzięki niemu będzie mógł opuścić więzienie w sposób niepozbawiony godności, zachowa opinię zwierzęcia niebezpiecznego, które się przed niczym nie cofnie; z całą więc gotowością pomógł córce dozorcy doprowadzić ciotkę do stanu, w którym wyglądała na bezsilną ofiarę przemocy.

– A teraz twoja kolej, Ropuchu – odezwała się dziewczynka. – Zdejmij marynarkę i kamizelkę; i bez tego grubas z ciebie dostateczny.

Trzęsąc się ze śmiechu, zapięła na nim suknię, ułożyła chustkę w odpowiednie fałdy i zawiązała mu pod brodą wstążki wyrudziałego czepka.

– Wypisz, wymaluj moja ciotka! – zachichotała. – Jestem przekonana, że nigdy w życiu nie wyglądałeś tak zacnie i poważnie. A teraz żegnaj, Ropuchu, szczęśliwej drogi! Idź prosto tym samym szlakiem, którym tu przyszedłeś, a jeśli kto do ciebie zagada – co jest prawdopodobne, bo przecież spotkasz samych mężczyzn – zbywaj wszystkich żartami, ale nie zapominaj, że jesteś kobietą, i to samotną wdową, i że możesz narazić na szwank swoją opinię.

Ropuch – z bijącym sercem, lecz krokiem tak pewnym, na jaki go tylko było stać – wyruszył ostrożnie na ową pozornie niefrasobliwą i ryzykowną wyprawę, przekonał się jednak niebawem z przyjemnością, że wszystko idzie mu jak z płatka; czuł się tylko nieco upokorzony myślą, iż popularność, jaką się najwidoczniej cieszy, i płeć, która się do tej popularności przyczyniła, były własnością innej osoby. Przysadzista postać praczki, odziana w dobrze znaną suknię w rzucik, służyła za przepustkę przy każdych zaryglowanych drzwiach, u każdej z ponurych bram, a nawet jeśli Ropuch wahał się, niepewny, w którą stronę zawrócić, wyjście z owej trudnej sytuacji wskazywał mu strażnik, przy następnej bramie wzywając go, aby szedł spiesznie i nie trzymał dozorców przez całą noc na warcie. Największe niebezpieczeństwo tkwiło w przekomarzaniu się i wesołych żartach kierowanych do Ropucha, na które musiał znajdować szybką i ciętą odpowiedź. Ropuch miał wysokie poczucie własnej godności, a przekomarzanie się było przeważnie (tak przynajmniej uważał) ordynarne i w lichym gatunku, żartom zaś brakło dowcipu. Potrafił jednak, choć z trudem, opanować się, a odpowiedzi dostosować do poziomu swych rozmówców i do postaci, pod jaką występował; robił przy tym, co mógł, aby nie przekraczać granicy dobrego smaku.

Czas dłużył mu się niesłychanie, lecz w końcu minął ostatni podwórzec, odrzuciwszy natarczywe zaprosiny do ostatniej wartowni i umknął przed wyciągniętymi ramionami ostatniego wartownika, który błagał go z żartobliwą namiętnością o pożegnalny uścisk. Posłyszał nareszcie szczęk zatrzaskiwanych za sobą wrzeciądzów przy wielkiej zewnętrznej bramie, poczuł na swym niespokojnym czole świeży powiew zewnętrznego świata i uświadomił sobie, że jest wolny.

Olśniony łatwością, z jaką udało mu się wykonać śmiały czyn, dążył szybko ku oświetlonemu miastu, nie mając pojęcia, co dalej począć, wiedział jedynie z całą pewnością, że musi jak najprędzej ulotnić się z miejscowości, gdzie dama, w którą musiał się przedzierzgnąć, była kimś tak znanym i popularnym.

Gdy dążył naprzód – namyślając się, co robić – zwróciły jego uwagę niedalekie, nieco w bok od miasta, czerwone i zielone światła, a uszu jego doszło dyszenie i sapanie lokomotywy oraz łoskot zderzaków.

„Ach – pomyślał sobie – mam szczęście. Dworzec kolejowy jest dla mnie w tej chwili tym, czego najbardziej w świecie potrzebuję, zwłaszcza że nie muszę przechodzić przez miasto, aby do niego dojść, nie potrzebuję odgrywać dalej tej upokarzającej roli i odpowiadać na zaczepki dowcipami, które, choć bardzo udatne, nie licują z moim poczuciem godności osobistej".

Ropuch udał się więc na dworzec, przejrzał rozkład jazdy i dowiedział się, że za pół godziny wyrusza pociąg jadący mniej więcej w kierunku jego domu.

– Mam szczęście! – powtórzył Ropuch w coraz lepszym humorze i poszedł do kasy kupić bilet.

Wymienił nazwę stacji położonej najbliżej wsi, nad którą królował Ropuszy Dwór, i w poszukiwaniu potrzebnych pieniędzy skierował machinalnie łapkę do miejsca, gdzie powinna znajdować się kieszonka od kamizelki. Lecz tu wmieszała się perkalowa suknia – która dotychczas dzielnie go broniła, a o której zupełnie zapomniał – i udaremniła jego wysiłki. Jak w koszmarze walczył z dziwacznym, niesamowitym strojem, co zdawał się trzymać go za łapki, obracał wniwecz wszystkie usiłowania i rzekłbyś, kpił z niego. Podróżni stojący w kolejce za Ropuchem czekali niecierpliwie, udzielając mu rad mniej lub więcej skutecznych albo robiąc uwagi bardziej czy mniej uszczypliwe i stosowne. Wreszcie jakimś sposobem – Ropuch nigdy nie zrozumiał dobrze jakim – przerwał zaporę i dotarł do miejsca, gdzie od wieków znajdują się wszelkie kieszonki od kamizelek i – nie znalazł nie tylko pieniędzy, ale ani kieszeni, ani kamizelki, w której mogłaby się kieszeń znajdować!

Przypomniał sobie z przerażeniem, że zostawił w celi marynarkę i kamizelkę, a wraz z nimi notes, pieniądze, klucze, zegarek, zapałki, ołówek, jednym słowem – wszystko, co sprawia, że warto żyć na świecie, wszystko, czym odróżnia się zwierzę o licznych kieszeniach, pan stworzenia, od niższych bezkieszeniowych lub jednokieszeniowych istot, które skaczą czy spacerują lekkim krokiem, niewyekwipowane do prawdziwej walki.

W tym nieszczęściu, chcąc zapanować nad sytuacją i znaleźć wyjście, zdobył się na rozpaczliwy wysiłek – przybrał dawny wielkopański ton i powiedział:

– Mój panie, widzę, że zapomniałam portmonetki. Proszę mi wydać bilet, a jutro odeślę panu pieniądze. Wszyscy mnie tu znają.

Kasjer spojrzał ze zdumieniem na Ropucha, na jego wyrudziały czepek i roześmiał się.

– Spodziewam się, że muszą panią dobrze znać – odparł – jeśli pani często próbuje podobnych sztuczek. Proszę odejść od okienka, zajmuje pani miejsce innym.

Starszy jegomość, który już jakiś czas szturchał Ropucha w plecy, odsunął go, a co gorsza, nazwał go „moją dobrą kobietą"; rozzłościło to Ropucha najbardziej ze wszystkiego, co zdarzyło się tego wieczora.

Zrozpaczony, pełen zwątpienia szedł wzdłuż toru, na którym stał pociąg, a łzy spływały mu po obu stronach nosa. Myślał sobie, jak to ciężko widzieć przed sobą bezpieczne schronienie, własny dom, a być od tego odsuniętym z powodu braku kilku marnych szylingów i małostkowej podejrzliwości płatnego urzędnika. Wkrótce wykryją jego ucieczkę, rozpocznie się pogoń, pochwycą go, zelżą, okują w łańcuchy, zawloką z powrotem do więzienia, gdzie czeka go chleb, woda i słoma; podwoją straże, zwiększą mu karę, a jakie ironiczne uwagi będzie robiła córka dozorcy! Co począć? Nie był szybki w łapkach, przy tym można go było łatwo poznać po figurze. Czy nie udałoby mu się wcisnąć pod ławkę w wagonie? Widział uczniów, którzy używali tego sposobu, obróciwszy uprzednio na inne, wyższe cele pieniądze dane im na drogę przez troskliwych rodziców.

Tak rozmyślając, stanął przed parowozem. Oliwił go właśnie i z wielką troskliwością czyścił maszynista, krzepki mężczyzna, trzymający w jednej ręce oliwiarkę, a w drugiej pęk pakuł.

– Co wam się stało, matko? – spytał maszynista – jakie was spotkało zmartwienie? Niezbyt wesoło wyglądacie.

– O panie! – rzekł Ropuch, wybuchając znów płaczem. – Jestem biedną, nieszczęśliwą praczką, zgubiłam pieniądze i nie mogę zapłacić za bilet, a muszę znaleźć sposób, aby wrócić na noc do domu. Nie wiem, co mam począć. Ach Boże, mój Boże!

– To rzeczywiście niemiła historia – powiedział maszynista i zamyślił się. – Zgubiliście pieniądze i nie możecie dostać się do domu – a pewnie macie dzieci, co na was czekają?

– Mam całe mnóstwo dzieci – zaszlochał Ropuch – są głodne i bawią się zapałkami, i wywracają lampy, i kłócą się, i licho wie, co wyrabiają. O mój Boże! Mój Boże!

– Więc powiem wam, co zrobimy – rzekł zacny maszynista. – Mówicie, że jesteście praczką z zawodu; to doskonale. A ja, jak widzicie, jestem maszynistą; jasne jak słońce, że mam okropnie brudną robotę, człowiek nie może nastarczyć koszul. Oj tak! Moja żona rąk nie czuje od ciągłego prania. Jeśli, wróciwszy do domu, wypierzecie kilka moich koszul i odeślecie mi je, zabiorę was na moją maszynę. Właściwie nie wolno nam robić takich rzeczy, ale nie bardzo na to zważają w naszym zapadłym kącie.

Rozpacz Ropucha zamieniła się w zachwyt, gdy wdrapywał się skwapliwie do budki maszynisty. Oczywiście, nigdy w życiu nie wyprał żadnej koszuli i nie potrafiłby tego zrobić, choćby nawet chciał, a w każdym razie nie miał zamiaru wziąć się do prania, ale pomyślał sobie:

„Kiedy już dostanę się do Ropuszego Dworu i będę miał znów pieniądze i kieszenie, do których je można chować, poślę maszyniście sporo grosza, aby mógł zapłacić za wielkie pranie: to przecież wszystko jedno, a może nawet lepiej na tym wyjdzie".

Konduktor machnął chorągiewką, maszynista zagwizdał wesoło w odpowiedzi i pociąg ruszył ze stacji. W miarę jak wzrastała szybkość i Ropuch widział z obu stron przesuwające się prawdziwe pola i drzewa, i płoty, i krowy, i konie, i kiedy sobie pomyślał, że z każdą minutą zbliża się do Ropuszego Dworu i miłych przyjaciół, do brzęczącej monety w kieszeniach, do miękkiego łóżka, dobrego jedzenia i pochwał, i podziwu dla jego niezwykłej mądrości i jego przygód, zaczął skakać wszerz i wzdłuż wozu i krzyczeć, i śpiewać urywki piosenek, ku wielkiemu zdumieniu maszynisty. Zacny ten człowiek od czasu do czasu – co prawda rzadko – widywał praczki, ale nigdy nie spotkał praczki choć trochę podobnej do babiny, którą wiózł.

Ujechali wiele mil i Ropuch zaczął się zastanawiać, co będzie jadł na kolację po powrocie do domu, gdy zauważył, że maszynista ze zdziwionym wyrazem twarzy wychyla się z okna lokomotywy i nasłuchuje, a potem wchodzi na stos węgla i patrzy w tył za pociąg.

– To ciekawe – odezwał się wreszcie poczciwiec – nasz pociąg jest ostatnim wieczornym pociągiem idącym w tym kierunku, a przysiągłbym, że słyszę za nami maszynę.

Ropuch w tej chwili zaprzestał swych błazeństw. Spoważniał i posmutniał, poczuł tępy ból w dole krzyża, przechodzący aż do łapek, a pod wpływem tego bólu wzięła go ochota, aby usiąść i nie myśleć o tym, co mogło się stać.

Księżyc świecił już jasno, a maszynista, stanąwszy mocno na kupie węgla, mógł ogarnąć wzrokiem duży kawał toru. Po chwili wykrzyknął:

– Teraz widzę wyraźnie! To parowóz, który jedzie z dużą szybkością po naszym torze. Coś mi wygląda, jakby gonił za nami.

Nieszczęsny Ropuch, rozpłaszczony na ziemi w miale węglowym, rozmyślał nad sposobem ratunku.

– Doganiają nas szybko! – krzyknął maszynista. – A na lokomotywie siedzi pełno ludzi o najdziwniejszym wyglądzie. Jacyś strażnicy wymachują halabardami; policja w hełmach wygraża pałkami, są też nędznie ubrani ludzie w melonikach. Nawet z tej odległości od razu widać, że są to tajni agenci; wywijają laskami i rewolwerami, a wszyscy razem krzyczą: „Stój! Stój! Stój!"

Ropuch padł na kolana i podnosząc złożone błagalnie łapki zawołał:

– Ratuj mnie, ratuj, drogi, zacny panie maszynisto! Wszystko panu wyznam. Nie jestem prostą praczką, na jaką wyglądam. Nie mam niewinnych ani w ogóle żadnych dziatek, które by na mnie czekały. Jestem żabą – dobrze znanym i ogólnie lubianym panem Ropuchem, właścicielem ziemskim. Dzięki wielkiej odwadze i mądrości udało mi się dopiero co umknąć z obmierzłego lochu, do którego wtrącili mnie nieprzyjaciele. Ale jeśli pochwycą mnie ludzie z tego parowozu, zaczną się znów da biednego, nieszczęsnego, niewinnego Ropucha kajdany i chleb, i woda, i słoma.

Maszynista spojrzał surowo na Ropucha i rzekł:

– Wyznaj mi prawdę, za co wsadzili cię do więzienia?

– Za nic wielkiego – odrzekł biedny Ropuch, czerwieniąc się mocno. – Pożyczyłem sobie tylko samochód, w czasie gdy właściciele jedli drugie śniadanie; nie był im przecież wówczas potrzebny. Nie miałem zamiaru ukraść go naprawdę; ale ludzie – a szczególnie urzędnicy – zapatrują się surowo na lekkomyślne, nierozważne postępki.

Maszynista rzekł z powagą:

– Źle postąpiłeś i właściwie powinienem oddać cię w ręce sprawiedliwości, ale widzę, że jesteś nieszczęśliwy i w wielkich opałach, więc cię nie opuszczę. Po pierwsze, nie lubię samochodów, a po drugie, nie znoszę, jak mną komenderuje policja, zwłaszcza wówczas, gdy siedzę na swojej maszynie; w dodatku doznaję dziwnego uczucia na widok zwierzęcia tonącego we łzach – wzrusza mnie to. Pociesz się więc, Ropuchu. Zrobię, co będę mógł! Może uda się nam umknąć przed nimi.

Zaczęli z zapałem dorzucać łopatami węgla, kocioł huczał, iskry pryskały, parowóz drgał i zataczał się w pędzie, lecz pościg zbliżał się coraz bardziej. Maszynista westchnął, otarł czoło pękiem pakuł i rzekł:

– Obawiam się, że nic z tego, Ropuchu. Widzisz, oni jadą bez obciążenia i mają lepszą maszynę. Jedno tylko nam pozostaje, i to ostatnia twoja nadzieja, więc słuchaj z wielką uwagą tego, co ci powiem. Niedaleko przed nami jest długi tunel, a po drugiej jego stronie tor biegnie przez gęsty las. Jadąc przez tunel rozwinę największą szybkość, a tamci oczywiście trochę zwolnią w obawie przed katastrofą. Kiedy przedostaniemy się na drugą stronę, zamknę parę i puszczę w ruch hamulce, a jak tylko zmiarkujesz, że to możliwe, musisz wyskoczyć i schronić się do lasu, żeby cię tamci nie zobaczyli, kiedy wyjadą z tunelu. A ja ruszę jak najszybciej w dalszą drogę. Niech gonią za mną tak długo, jak tylko zechcą, i tak daleko, jak im się podoba. A teraz uważaj i skacz, kiedy ci powiem.

Dorzucili znów węgla i pociąg wpadł pędem do tunelu; parowóz śpieszył, hałasował, grzechotał, aż wreszcie wypadł z tunelu; owiało ich świeże powietrze, ujrzeli spokojny blask księżyca i ciemny, bezpieczny las, który ciągnął się po obu stronach toru. Maszynista zamknął parę i zahamował. Ropuch zszedł na stopień, a gdy pociąg zwolnił, posłyszał okrzyk:

– Teraz skacz!

Ropuch skoczył, ześliznął się z niskiego nasypu, wstał zdrów i cały, wtoczył się do lasu i tam się ukrył.

Wyjrzawszy, zobaczył, że jego pociąg rozpędził się znowu i szybko znikł. A tymczasem, rycząc i gwiżdżąc, wypadł z tunelu parowóz ze swą dziwną załogą, która wymachiwała rozmaitą bronią krzycząc:

– Stój! Stój! Stój!

Gdy przejechali, Ropuch uśmiał się serdecznie po raz pierwszy od czasu, jak wtrącono go do więzienia.

Ale niebawem przestał się śmiać; pomyślał, że jest późno, ciemno i zimno, że znalazł się w nieznanym lesie, bez pieniędzy i bez nadziei na kolację, że wciąż jeszcze jest daleko od domu i przyjaciół; martwa zaś cisza po turkocie i dudnieniu pociągu działała przygnębiająco. Nie śmiał wyjść spod osłony drzew, zapuścił się więc w las, chcąc zostawić tor kolejowy jak najdalej za sobą.

Po tylu tygodniach spędzonych wśród murów las wydał mu się obcy, nieprzyjazny i rzekłbyś, szyderczo względem niego nastawiony. Gdy słyszał jakby mechaniczne pohukiwanie Puchacza, zdawało mu się, że las roi się od strażników, którzy go okrążają. Sowa w przelocie dotknęła skrzydłem jego ramienia, uskoczył w bok straszliwie przerażony, był przekonany, że chwyta go jakaś ręka. Sowa, podobna do ćmy, odlatując zaśmiała się gardłowo: „Ho! Ho! Ho!" Ropuch uznał to za marny dowcip. Natknął się raz na Lisa, który stanął, zmierzył go ironicznym wejrzeniem i rzekł.

– Hej tam! Praczka! Brakuje mi w tym tygodniu jednej skarpetki i jednej poszewki. Pamiętajcie, żeby to się nie powtarzało!

Zachichotał i odszedł z dumną miną. Ropuch obejrzał się, szukając kamienia, którym mógłby rzucić za Lisem, ale nic nie znalazł, co go mocno rozzłościło. Wreszcie głodny, zziębnięty, zmordowany, poszukał schronienia w spróchniałym drzewie, gdzie przygotował sobie możliwie wygodne posłanie z gałęzi i suchych liści, i spał mocno aż do rana.

Powszechna wędrówka

Szczur Wodny nie mógł sobie znaleźć miejsca, sam nie wiedząc dlaczego. Wspaniałe lato było jeszcze na pozór w pełnym rozkwicie i choć na uprawnych polach złoto zastąpiło zieleń, choć ścierniska czerwieniły się, a w lesie widniały tu i ówdzie jaskrawe, rude plamy – światło, ciepło i barwa trwały wciąż niezmienione. Nic nie zapowiadało chłodów i końca lata. Lecz chór, który wyśpiewywał bezustannie w sadach i żywopłotach, zmniejszył się i zaledwie kilku niezmordowanych wykonawców nuciło pieśń wieczorną; wróble rozpanoszyły się znowu, a w powietrzu czuć było zmianę i rozpoczęły się wyjazdy. Kukułka, ma się rozumieć, dawno już zamilkła; ale brakowało również wielu innych pierzastych przyjaciół, stanowiących przez kilka miesięcy część znanego krajobrazu i jego małego społeczeństwa, ich szeregi kurczyły się z każdym dniem. Szczur, który zawsze śledził ruch skrzydlatych istot, zauważył, że kierunek tego ruchu prawie codziennie przesuwa się bardziej ku południowi; a nawet gdy nocą leżał w łóżku, zdawało mu się, że słyszy w ciemności nad głową szelest i drganie cierpliwych skrzydeł, posłusznych przemożnemu nakazowi.

Wielki hotel przyrody, tak jak i każdy inny, ma swoje sezony. Gdy goście pakują się kolejno, płacą i odjeżdżają, a liczba osób przy *table d'hôte* zmniejsza się podczas każdego jedzenia; gdy się szereg pokojów zamyka, gdy się zdejmuje dywany i odprawia kelnerów, to ci, którzy pozostają *en pension* do pełnego rozkwitu przyszłorocznego sezonu, nie mogą się ustrzec pewnego wpływu, jaki wywierają na nich te odloty i pożegnania, te namiętne dyskusje o projektach, o drogach do przebycia i nowych kwaterach i to codzienne ubywanie miłych kompanów i stają się niespokojni, przygnębieni i zgryźliwi.

– Po co ta chęć odmiany? Dlaczego nie pozostać tutaj spokojnie razem z nami i bawić się wesoło? Nie wiecie, jak wygląda ten hotel po sezonie, nie wyobrażacie sobie, jak się dobrze bawimy w naszych leżach, my, co pozostajemy przez cały okrągły, interesujący rok.

– To wszystko prawda, niewątpliwie – odpowiadają podróżnicy – zazdrościmy wam, może zostaniemy w przyszłym roku, ale teraz mamy zobowiązania – omnibus stoi przed drzwiami, już czas na nas.

Wyjeżdżają uśmiechając się i kiwając głowami, a stali goście odczuwają ich brak i mają do nich żal.

Szczur należał do zwierząt, które nie ulegają nastrojom, był przywiązany do ziemi i choć inni odchodzili – zostawał na miejscu; a jednak to, co się działo w powietrzu, nie uchodziło jego uwagi i nie pozostawało bez wpływu na niego. Trudno było wziąć się poważnie do jakiejś roboty wobec tego skrzydlatego ruchu.

Szczur opuścił brzeg rzeki, gdzie gęste szuwary wznosiły się wysoko nad opadającą już wodę o toczącym się leniwie nurcie, i poszedł w głąb lądu; minął parę pastwisk wyschniętych i pokrytych pyłem i zapuścił się w królestwo żółtej, sfalowanej, szemrzącej pszenicy, której ruchy były spokojne, a szepty ciche. Lubił wędrówki wśród lasu sztywnych, silnych łodyg, co podtrzymywały nad jego łebkiem swe własne złociste niebo – tańczące, rozmigotane i łagodnie rozgwarzone – lub pochylały się gwałtownie pod przelotnym wiatrem i prostowały się nagle z wesołym śmiechem. Szczur miał tu także licznych małych przyjaciół, tworzących odrębne społeczeństwo, którego członkowie wiedli bujne, czynne życie, a mimo to znajdowali zawsze wolną chwilę, aby poplotkować z gościem i podzielić się z nim nowinami. Lecz dziś zdawało się, że myszy polne są czymś zaprzątnięte, choć grzecznie przyjęły Szczura. Jedne pilnie kopały tunele, inne

zbierały się po kilka i oglądały plany i rysunki niewielkich mieszkań, wygodnych, przyjemnie rozplanowanych i położonych w bliskości składów. Jeszcze inne wyciągały zakurzone kufry i kosze lub pogrążone były po uszy w pakowaniu dobytku. Wszędzie wkoło pszenica, owies, jęczmień i orzechy leżały w stosach lub snopkach, gotowe do transportu.

– Przyszedł nasz stary Szczur! – zawołały myszy na jego widok. – Chodź nam pomóc, Szczurze, nie stój bezczynnie!

– Cóż to za zabawa? – spytał Szczur surowo. – Wszak wiecie, że nie czas teraz myśleć o zimowych kwaterach, jeszcze do tego daleko.

– Wiemy, wiemy – odrzekła dość bezczelnie jedna z polnych myszy. – Ale zawsze lepiej o wszystkim pomyśleć zawczasu, prawda? Musimy koniecznie zabrać stąd meble i rzeczy, i zapasy, nim te ohydne maszyny zaczną szczękać po polach; a przy tym, jak wiesz, bardzo szybko rozchwytują obecnie lepsze mieszkania i jeżeli się spóźnimy, będziemy musiały zadowolić się byle czym; a zresztą trzeba zwykle robić gruntowny remont przed wprowadzeniem się. Wiemy naturalnie, że jest jeszcze dużo czasu, to tylko taki sobie początek.

– Et, co tam! – rzekł Szczur. – Cudowny dziś dzień, chodźcie, przejedziemy się łodzią albo pójdziemy na spacer wzdłuż płotów czy na piknik do lasu albo coś w tym rodzaju.

– Chyba nie dziś, dziękuję ci – odrzekła spiesznie Polna Mysz. – Może kiedy indziej, jak będziemy miały więcej czasu.

Szczur parsknął pogardliwie, zawrócił, potknął się o pudełko kapeluszy i upadł, mrucząc pod nosem dosadne wyrazy.

– Gdy kto uważa i patrzy, gdzie stawia łapki – rzekła oschłym tonem jedna z polnych myszy – nie ma obawy, aby się potknął i w dodatku tak się zapomniał. Ostrożnie, Szczurze, tu stoi kosz. Najlepiej usiądź sobie. Może za parę godzin będziemy miały czas się tobą zająć.

– Nie zdaje mi się, abyście „miały czas", jak to nazywasz, przed Bożym Narodzeniem – odparł Szczur zgryźliwie, torując sobie drogę przez pole.

Powrócił dość chmurny do swojej rzeki, która nie pakowała się nigdy i nie odlatywała na zimowe leże.

Wśród wikliny okalającej brzeg spostrzegł siedzącą Jaskółkę; niebawem przyłączyła się do niej druga, a po chwili trzecia. Ptaszki rozmawiały cicho i z przejęciem, przeskakując wciąż niespokojnie z gałązki na gałązkę.

– Co, już? – spytał Szczur podchodząc ku nim. – Co za gwałt? – Przecież to wprost śmieszne!

– O, jeszcze nie wyruszamy, jeśli o to ci chodzi – odparła pierwsza Jaskółka – robimy tylko plany i projekty. Omawiamy naszą wędrówkę, rozumiesz, zastanawiamy się, jaką drogę obrać tego roku, gdzie się zatrzymać i tak dalej. To połowa przyjemności.

– Przyjemności? – powtórzył Szczur. – Otóż tego wcale nie rozumiem Jeśli już m u s i c i e opuścić te miłą miejscowość i przyjaciół, którzy będą za wami tęsknili, i wasze wygodne domki, gdzieście się dopiero co wprowadziły, nie wątpię, że gdy wybije godzina, stawicie czoło kłopotom, niewygodom, zmianom i nowym warunkom i będziecie usiłowały ukryć, jaką wam to sprawia przykrość. Ale omawiać to, a nawet o tym myśleć, póki nie zajdzie istotna potrzeba…

– Ty tego nie rozumiesz, to rzecz naturalna – powiedziała druga Jaskółka. – Najpierw czujemy w sobie jakby słodki niepokój; potem jedno po drugim wracają, niby gołębie do gołębnika, wspomnienia, trzepocą nocą w naszych snach, a we dnie fruwają z nami, gdy zataczamy kręgi. Pragniemy gorąco poznać szczegóły, porównać nasze wspomnienia i upewnić się o rzeczywistości tego wszystkiego, gdy stopniowo przypominają się nam i pociągają nas zapachy i dźwięki, i nazwy dawno zapomnianych miejscowości.

– Czy nie moglibyście zostać w tym roku? – proponował smętnie Szczur Wodny. – Będziemy się wszyscy usilnie starali, aby wam było dobrze. Nie macie pojęcia, jak przyjemnie spędzamy czas, gdy jesteście daleko.

– Spróbowałam zostać jednego roku – odpowiedziała trzecia Jaskółka. – Przywiązałam się tak serdecznie do tej miejscowości, że kiedy nadeszła pora, ociągałam się i pozwoliłam innym odlecieć beze mnie. Przez kilka tygodni było mi jako tako, ale później! Te męczące długie noce i zimne bezsłoneczne dni. To powietrze, chłodne, przejmujące, gdzie nie było ani jednego owada. Nie, okazało się, że to na nic; opuściła mnie odwaga i pewnej zimnej, burzliwej nocy odfrunęłam, starając się lecieć środkiem lądu ze względu na wschodnie wiatry. Gęsty śnieg sypał, gdy znalazłam się nad przełęczami wysokich gór, i musiałam porządnie się namęczyć, nim zdołałam przedostać się na drugą stronę; ale nie zapomnę nigdy rozkosznego uczucia, kiedy gorące słońce grzało mi plecy, a ja wzlatywałam ku jeziorom, które spoczywały pode mną, niebieskie i spokojne. A jak mi smakował pierwszy tłusty owad! Przeszłość wydała mi się złym snem;

przyszłość wyglądała jak szczęśliwe wakacje. Leciałam na południe przez długie dni leniwie, ociągając się jak najdłużej, czując wyraźnie zew! Nie! Po tym ostrzeżeniu nieposłuszeństwo nie przyszło mi już nigdy do głowy.

– Ach, zew Południa, zew Południa – zaświergotały marząco inne jaskółki. – Te śpiewy, te barwy i blask powietrza! Czy pamiętacie...

Zapomniawszy o Szczurze, zaczęły namiętnie zagłębiać się we wspomnienia, a Szczur oczarowany słuchał z bijącym sercem. Uświadomił sobie, że i w nim zadźwięczała wreszcie struna drzemiąca dotychczas, której istnienia nie podejrzewał. Zwykły szczebiot ptaków, kierujących się na południe, ich jednostajne opowiadania zdołały jednak obudzić nieznane, gwałtowne uczucie, które go na wskroś przeniknęło; cóż by to było, gdyby choć przez chwilę poznał tamtą rzeczywistość – gdyby poczuł namiętne dotknięcie prawdziwego słońca Południa, tchnienie autentycznego południowego zapachu? Zamknął oczy i przez chwilę odważył się oddać bez reszty marzeniom, a kiedy znów oczy otworzył, rzeka wydała mu się chłodna, jakby ze stali, a pola szare i smutne. Lecz zaraz wierne serce Szczura zaczęło wyrzucać zdradę swojemu słabszemu drugiemu „ja".

– W takim razie – spytał zazdrośnie – dlaczego wracacie? Co was przyciąga do tej szarej krainy!

– Czy myślisz – powiedziała pierwsza Jaskółka – że w odpowiedniej porze nie dochodzi do nas zew z tego kraju? Wzywa nas soczysta trawa na łąkach, wilgotne sady, nagrzane stawy pełne owadów, pasące się krowy, sianokosy i wszystkie budynki folwarczne skupione wkoło „domu o idealnym okapie".

– Czy myślisz – spytała druga Jaskółka – że jesteś jedynym żywym stworzeniem, które tęskni namiętnie za głosem kukułki?

– W swoim czasie – wtrąciła trzecia – będziemy znowu marzyły o cichych grążelach, co się unoszą na powierzchni angielskich wód. Ale dziś wszystko to wydaje się nam blade, niewyraźne i bardzo dalekie. Teraz krew krąży w nas żywo w takt innej muzyki.

Jaskółki zaczęły znowu między sobą świergotać, a tym razem szczebiotały upajająco o fioletowych rzekach, rudych piaskach i murach, po których pełzają jaszczurki.

Szczur nie mógł znaleźć sobie miejsca; wdrapał się po pochyłości, co się wznosiła łagodnie na północnym brzegu rzeki, położył się i patrzył w stronę łańcucha wzgórz, które zamykały widok na południe. Te wzgórza stanowiły dotychczas kres jego widnokręgu, tworzyły granicę, poza którą nie było nic, co by chciał wiedzieć lub poznać. Dziś, gdy spoglądał na południe z nowym pragnieniem w sercu, jasne niebo nad niskim, długim pasmem wzgórz zdawało się drgać od obietnic; dziś to, co nieznane, było jedynym rzeczywistym faktem w życiu. Nicość przeniosła się teraz na tę stronę wzgórz, a po drugiej stronie rozłożyła się barwna, urozmaicona panorama, którą widział jasno oczami wyobraźni. Jakie tam morza szmaragdowe, rozkołysane, spienione! Jakie wybrzeża, gdzie jaśnieją białe wille na tle oliwnych lasów! Jakie ciche przystanie, zatłoczone pięknymi statkami, które płyną do fioletowych wysp porośniętych winem i egzotycznymi krzewami, wysp osadzonych nisko na sennych wodach!

Szczur wstał i zszedł znowu nad rzekę, a potem zmienił zdanie, udał się na skraj zakurzonej drogi i usiadł w chłodzie, w cieniu okalającego ją gęstego, splątanego żywopłotu. Zatopił się w rozmyślaniach nad asfaltową szosą i cudownym światem, do którego wiodła, a także nad wszystkimi wędrowcami, co po niej kroczyli, nad przygodami i wypadkami, których poszukiwali lub które im się zdarzyły nieoczekiwanie tam – za wzgórzami – daleko!

Wtem posłyszał kroki; na drodze ukazała się postać znużonego wędrowca – był to Szczur, i to Szczur mocno zakurzony. Doszedłszy do Szczura Wodnego, podróżny skłonił się uprzejmie w sposób nieco cudzoziemski, zawahał się chwilę, a potem z miłym uśmiechem zszedł z gościńca i usiadł na chłodnej murawie obok Szczura Wodnego. Wydawał się zmęczony, więc Szczur Wodny pozwolił mu odpocząć, nie rozpytując go o nic, rozumiał bowiem coś niecoś z tego, co przeżywał przybysz; wiedział także, jaką wagę przywiązują często zwierzęta do towarzystwa milczącego kolegi; mogą wówczas rozprężyć znużone muskuły, a tylko ich umysł pracuje.

Wędrowiec był szczupły, o ramionach nieco przygarbionych, o długich, chudych łapkach i ostrych rysach, liczne zmarszczki rysowały się w kącikach oczu; w kształtnych, dobrze osadzonych uszach widniały złote kolczyki. Miał na sobie spłowiały granatowy trykot ręcznej roboty, wysmolone i mocno połatane spodnie, także granatowe, a na plecach niósł tobołek związany niebieską perkalową chustką.

Przybysz – po chwilowym odpoczynku – westchnął i rozejrzał się, węsząc.

– Ten zapach, który nam przyniosła ciepła bryza, to była koniczyna – zauważył – a z tyłu za nami słyszę pasące się na łące krowy; parskają łagodnie między jedną porcją uskubanej trawy a drugą. Z daleka słychać żniwiarzy, a tam hen, na tle lasu, wznosi się niebieski dym z wioskowego komina. Gdzieś w pobliżu musi przepływać rzeka, słyszę krzyk wodnego ptactwa i odgaduję z twoich kształtów, że jesteś marynarzem słodkich wód. Wszystko wydaje się uśpione, a jednak ruch nie ustaje. Prowadzisz stateczne życie, przyjacielu, bez wątpienia najlepsze w świecie, jeśli komu starczy na nie sił.

– Tak, to jedyne w świecie życie – odparł Szczur sennie, bez zwykłego przekonania płynącego z serca,

– Ja niezupełnie tak powiedziałem – odparł ostrożnie obcy – lecz to jest niewątpliwie najlepsze życie. Próbowałem nim żyć, więc wiem, co mówię. A ponieważ dopiero co zakosztowałem tego życia – przez całe sześć miesięcy – i wiem, że jest najlepsze, siedzę tu zgłodniały, z obolałymi łapkami, i porzucam je, wędruję na południe posłuszny staremu wezwaniu, wracam do dawnego życia, do życia, które jest moim i nie chce mnie wypuścić.

„Czyżby to był znowu jeden z tych wędrowców?" – zastanawiał się Szczur.

– Skądże tak idziesz? – spytał.

Nie śmiał zapytać, dokąd wędrowiec dąży, zdawało mu się, że aż nadto dobrze wie, jaką dostanie odpowiedź.

– Z niewielkiej a przyjemnej zagrody – odparł krótko wędrowiec – położonej w tamtej stronie. – Łebkiem wskazał północ. – Ach, to nie ma znaczenia. Opływałem tam we wszystko, czego mi było potrzeba – we wszystko, czego mogłem od życia wymagać, a nawet więcej – i jestem tutaj, i cieszy mnie to, cieszy, że tu siedzę. Te mile drogi, które uszedłem, zbliżyły mnie do celu mych marzeń.

Utkwił błyszczące ślepki w horyzoncie i zdawał się nasłuchiwać, czy nie pochwyci głosu, którego brakowało w tych śródlądowych polach, mimo iż rozbrzmiewały wesołą melodią pastwisk i zagród gospodarskich.

– Nie jesteś jednym z nas – rzekł Szczur Wodny – a także nie jesteś rolnikiem, ani nawet, o ile mogę sądzić, nie pochodzisz z tego kraju.

– Słusznie – odrzekł obcy. – Jestem marynarzem, a port, z którego pochodzę, zwie się Konstantynopol, choć i tam uważam się poniekąd za cudzoziemca, jeśli się tak można wyrazić. Musiałeś słyszeć o Konstantynopolu. Piękne to miasto, sławne, starożytne. Może słyszałeś także o Sygurdzie, królu Norwegów, który tam zawinął z sześćdziesięcioma okrętami i wraz ze swymi ludźmi jechał przez ulice przybrane na jego cześć w złoto i purpurę. Sam cesarz i cesarzowa ucztowali na jego okręcie. Gdy Sygurd wracał do domu, wielu z jego ludzi zostało w Konstantynopolu i wstąpiło do przybocznej gwardii cesarza; mój pradziad, Norweg z urodzenia, został tam także, na okręcie, który Sygurd ofiarował cesarzowi. Nic w tym dziwnego, pochodzimy z rodu marynarzy. Co do mnie, nie uważam za swoją ojczyznę miasta, gdzie się urodziłem, równie dobry jest dla mnie każdy inny port miedzy Konstantynopolem a rzeką londyńską. Znam je wszystkie i one mnie znają. Czuję się jak u siebie w domu na bulwarze czy nadbrzeżu, gdziekolwiek mnie wysadzą.

– Odbywasz prawdopodobnie długie podróże – rzekł Szczur Wodny z wzrastającym zainteresowaniem – Spędzasz całe miesiące nie widząc lądu... zapasy kończą się... wydzielają wodę porcjami... twój duch obcuje z potężnym oceanem i tak dalej.

– Ale gdzież tam – odparł Szczur Morski ze szczerością. – Życie, które opisujesz, nie podobałoby mi się wcale. Zajmuję się handlem przybrzeżnym. Rzadko kiedy tracę ziemię z oczu. Wesołe chwile spędzone na lądzie podobają mi się nie mniej od morskich podróży. Ach, te południowe porty! Ich zapach, światła, ich czar!

– Obrałeś, być może, najlepszą drogę – rzekł Szczur Wodny z lekkim powątpiewaniem. – Opowiedz mi coś niecoś o owym handlu nadbrzeżnym, jeśli cię to nie nudzi. Jakie żniwo może tam zebrać dzielne zwierzę, aby w starszym wieku, siedząc przy kominku, móc ogrzewać się pięknymi wspomnieniami. Moje życie bowiem – muszę ci to wyznać – wydaje mi się dziś nieco ciasne i ograniczone.

– Ostatnia moja podróż – zaczął Szczur Morski – która zakończyła się przypadkowo w tym kraju w związku z wielkimi nadziejami, jakie pokładałem w śródlądowym folwarku, może służyć za przykład innych wypraw, których odbyłem niemało w ciągu mego niezmiernie barwnego żywota. Zaczęła się, jak zwykle, od kłopotów rodzinnych. Zaciągnąłem się z powodu rodzinnych niesnasek na mały, handlowy statek jadący z Konstantynopola przez klasyczne morza – których każda fala drga nieśmiertelnym wspomnieniem – do wysp greckich i na Wschód. Były to złote dni i wonne noce. Zawijaliśmy wciąż do nowych portów, a wszędzie spotykałem starych przyjaciół. Przesypiałem upalne dni w chłodnej świątyni lub w ruinach cysterny, a po zachodzie słońca śpiewaliśmy i ucztowaliśmy pod wielkimi gwiazdami osadzonymi na aksamitnym niebie, potem płynęliśmy brzegiem Adriatyku, gdzie ziemia nurza się w powietrzu z bursztynu, róży i akwamaryny; zawijaliśmy do obszernych portów otoczonych lądem, włóczyliśmy się po starodawnych sławnych miastach, aż wreszcie pewnego ranka, gdy słońce wschodziło iście po królewsku, wpłynęliśmy szlakiem ze złota do Wenecji. O, Wenecja to piękne miasto, szczur może tam wygodnie spacerować i zabawiać się, a znużony wędrówką może nocą zasiąść do uczty z przyjaciółmi na brzegu Canal Grande. Pełno tam pieśni w powietrzu, a na niebie pełno gwiazd, światła błyszczą i migocą, odbijając się w gładkich, stalowych dziobach rozkołysanych gondoli, a tych gondoli takie jest mnóstwo, że można by po nich przejść cały kanał. A co za jedzenie! Czy lubisz skorupiaki? Ale nie będziemy się teraz nad tym zastanawiali.

Umilkł na chwilę, a Szczur Wodny, oczarowany i także milczący, pływał w marzeniu po kanałach i słyszał echo pieśni rozbrzmiewającej dźwięcznie wśród szarych, mglistych murów omywanych chlupotaniem fal.

– Pożeglowaliśmy wreszcie na Południe – podjął Szczur Morski – wzdłuż włoskich wybrzeży, aż do Palermo; tam porzuciłem statek i puściłem się na daleką rozkoszną wycieczkę lądową. Nie trzymałem się nigdy długo jednego statku, to wytwarza ciasnotę pojęć i stronniczość; przy tym Sycylia jest jednym z moich ulubionych terenów myśliwskich. Znam wszystkich na tej wyspie, a tamtejsze obyczaje odpowiadają mi. Spędziłem długie i wesołe tygodnie na wsi u przyjaciół, a gdy znów mnie nawiedził niepokój, skorzystałem ze statku, który płynął z towarem na Sardynię i Korsykę, i z radością poczułem na pyszczku powiew morski i bryzgi fal.

– A czy tam na dole w ładowni – bo tak to zwiecie, o ile się nie mylę – nie jest bardzo gorąco i duszno? – spytał Szczur Wodny.

Marynarz spojrzał na niego i, rzekłbyś, mrugnął porozumiewawczo.

– Jestem starym wilkiem morskim – powiedział z prostotą – wystarcza mi kabina kapitana.

– W każdym razie to ciężkie życie – mruknął Szczur Wodny, głęboko pogrążony w myślach.

– Dla załogi jest niewątpliwie ciężkie – odparł marynarz z powagą i znów jakby mrugnął znacząco. – Na Korsyce – ciągnął dalej – wsiadłem na statek, który wiózł wino na kontynent. Wieczorem zawinęliśmy do Alassio, wyciągnęliśmy beczki z winem i puściliśmy je na wodę, powiązawszy długą liną. Potem załoga wsiadła do łodzi i śpiewając wiosłowała w stronę brzegu, ciągnęła za sobą długi sznur beczek, które zderzały się, były podobne do stada delfinów. Na piasku czekały konie; rozwiozły beczki z tupotem i hałasem, drapiąc się dzielnie pod górę po stromych uliczkach małego miasta. Gdy już odstawiliśmy ostatnią beczkę, poszliśmy odpocząć, orzeźwić się i siedzieliśmy długo w noc pijąc z przyjaciółmi. Następnego ranka wyruszyłem na krótki wypoczynek do rozległych oliwnych gajów, na razie miałem dość wysp, a że nieźle zarabiałem w portach i na statkach, pędziłem leniwe życie wśród wieśniaków; leżąc, przyglądałem się, jak pracują, lub wyciągnąwszy się gdzieś na wyżynie, patrzyłem w dół na niebieskie Morze Śródziemne. I ostatecznie krótkimi etapami, po części piechotą, po części morzem, dotarłem do Marsylii; spotkałem się z dawnymi kolegami – marynarzami, zwiedziłem wielkie, dalekomorskie statki i ucztowałem znowu, wspominałem ci już o skorupiakach. Czasami śnię o marsylskich ostrygach i budzę się z płaczem!

– Przypomina mi to – odezwał się uprzejmie Szczur Wodny – że napomykałeś coś o głodzie. Należało już wcześniej tę sprawę poruszyć. Zostaniesz oczywiście i zjesz ze mną drugie śniadanie, prawda? Moja nora jest bardzo blisko, a że już minęła dwunasta, więc czym chata bogata, tym rada.

– Bardzo to uprzejmie z twojej strony, całkiem po bratersku – odpowiedział Szczur Morski. – Byłem głodny, gdy tu usiadłem, a od chwili kiedy niebacznie wspomniałem skorupiaki, głód szarpie mi wnętrzności. Czy nie mógłbyś przynieść tutaj śniadania? Niezbyt lubię wchodzić pod strzechę, chyba w razie koniecznej potrzeby, podczas jedzenia mógłbym opowiedzieć ci jeszcze coś niecoś o moich podróżach i o miłym życiu, jakie pędzę – dla mnie to życie jest w każdym razie bardzo miłe, a sądząc po uwadze, z jaką mnie słuchasz, myślę, że i tobie wydaje się godne pochwały; jeśli zaś wejdziemy pod dach, jest dziewięćdziesiąt szans na sto, że zasnę.

– Doskonały to pomysł, zaiste – zgodził się Szczur Wodny i pośpieszył do swojej nory.

Wydostał koszyk i zapakował weń skromne śniadanie; pomny na cudzoziemskie pochodzenie i gusta przybysza wziął metr paryskiej bułki, kiełbasę zalatującą czosnkiem, ser, który niemalże szedł piechotą, i oplataną flaszkę o długiej szyjce, zawierającą słońce zlane w butelkę i przechowywane na dalekim Południu. Tak obładowany, wrócił jak mógł najprędzej i zarumienił się z radości, posłyszawszy słowa uznania, jakich stary wilk morski nie szczędził jego smakowi i znawstwu, gdy razem rozpakowali kosz i rozłożyli jego zawartość na przydrożnej trawie.

Szczur Morski, zaspokoiwszy pierwszy głód, podjął dalej historię ostatniej podróży. Prowadził prostodusznego słuchacza przez Hiszpanię od portu do portu, lądował z nim razem w Barcelonie, Lizbonie i Bordeaux, zawijał do rozkosznych przystani Kornwalii i hrabstwa Devon i wreszcie przepłynął przez kanał do ostatniego nabrzeża, dokąd dotarł skołatany przez burzę, po walce z długotrwałym wiatrem przeciwnym; pochwycił pierwsze czarowne zapowiedzi i znaki wiosny i, podniecony nimi, pośpieszył w głąb lądu na długą wędrówkę, łaknąc życia na spokojnym podwórzu folwarcznym, z dala od męczącego ruchu morskich fal.

Oczarowany Szczur Wodny, drżąc z podniecenia, dążył krok w krok za podróżnikiem przez burzliwe zatoki i zapełnione tłumem ulice; wchodził za nim do portowych knajp, płynął w górę krętych rzek, co ukrywały ruchliwe miasteczka za nagłym zakrętem, i opuścił go z westchnieniem żalu w nudnym śródlądowym folwarku, o którym nie chciał nic słyszeć.

Tymczasem skończyli śniadanie; marynarz pokrzepił się i orzeźwił, głos jego stał się dźwięczniejszy, oczy rozbłysły światłem, które wydało się odbłyskiem jakiejś odległej latarni morskiej; napełnił szklankę czerwonym, migocącym winem Południa; pochylony ku Szczurowi Wodnemu, przykuł do siebie jego wzrok i całkowicie opętał towarzysza swą wymową. Szarozielone oczy wędrowca były koloru zmiennych, burzliwych, pianą porysowanych północnych mórz, w szklance błyszczał gorący rubin, co zdawał się być samym sercem Południa, bijącym dla tego, który ma odwagę odpowiedzieć na jego odbicie. Oba te światła – zmiennie szare i stale czerwone – owładnęły Szczurem Wodnym, był w ich mocy – oczarowany, bezsilny; spokojny świat zewnętrzny, którego nie ogarniały ich promienie, cofnął się i zniknął w oddali. Opowieść, cudowna opowieść płynęła – czy była to tylko mowa, czy też chwilami przeradzała się w pieśń, w śpiewkę marynarzy podnoszących ociekającą wodą kotwicę, w dźwięczny łopot żagli przy gwałtownym północno-wschodnim wichrze, w balladę rybaka ciągnącego o świcie swą sieć na tle morelowego nieba, w dźwięk strun gitary i mandoliny dochodzący z gondoli lub barki. A może słowa zmieniły się w jęk wichru żałosny z początku, gniewnie ostry, w miarę jak się wzmagał i wznosił aż do rozdzierającego gwizdu, który przycichał i spływał melodyjnie po krawędzi wzdętego żagla? Oczarowany Szczur Wodny zdawał się słyszeć wszystkie te dźwięki, a wraz z nimi dochodziła go głodna skarga mew, łagodny grzmot rozbijających się fal, szelest opornego żwiru... i znów wracały słowa. Z bijącym sercem słuchał przygód w licznych portach, słuchał o walkach, ucieczkach, zbiórkach, o koleżeństwie i odważnych przedsięwzięciach; albo też szukał wysp, gdzie leżą skarby, łowił ryby w spokojnych lagunach i całe dnie spędzał, drzemiąc na białym piasku. Słuchał opowiadania o połowie ryb na pełnym morzu, o ściąganiu potężnych, srebrzystych sieci milowej długości; słuchał o nagłych niebezpieczeństwach, o szumie grzywiastych fal w bezksiężycową noc lub o wyniosłych masztach wielkiego statku, co nagle rysują się we mgle nad głową; słuchał o wesołych powrotach do domu, gdy zatoczy się szeroki krąg wokół przylądka i zabłysną światła portowe; gdy się spostrzeże na lądzie niewyraźne grupki ludzi, gdy dochodzą radosne okrzyki i plusk liny holowniczej; słuchał o wędrówce po stromych uliczkach ku krzepiącemu światłu okien z czerwonymi zasłonami.

Wreszcie w tym śnie na jawie zdawało mu się, że wędrowiec wstał, lecz nie przestał mówić, trzymał go wciąż w mocy swych oczu, szarych jak morze.

– A teraz – powiedział łagodnie podróżnik – ruszam znowu w drogę. Będę szedł wśród kurzu przez wiele dni, kierując się na południowy wschód, aż wreszcie dojdę do znanej mi dobrze, szarej nadmorskiej mieściny, która czepia się jednej ze stromych ścian portu. Tam poprzez ciemne bramy widać schody idące w dół, a nad nimi zwisają wielkie różowe pęki waleriany, schody kończą się niebieską plamą migocącego morza. Łódeczki, przytwierdzone do kółek i pali na starym bulwarze, pomalowane są na wesołe barwy i przypominają czółna, do których wchodziłem w dzieciństwie. Łososie wyskakują z wody podczas przypływu, makrele płyną ławą, bawią się i migają wzdłuż nabrzeża, a pod oknami suną dzień i noc wielkie statki, kierując się ku portowi czy też na pełne morze. Tam, wcześniej czy później, przybywają statki wszystkich narodów, które prowadzą handel morski, więc przybędzie tam również o swojej porze i zapuści kotwicę statek, który wybiorę. Nie śpiesząc się, ociągając się i zwlekając znajdę wreszcie statek odpowiedni dla siebie; będzie czekał w środku portu, obciążony porządnie ładunkiem i zwrócony bukszprytem ku morzu. Wśliznę się do niego po linie czy też za pomocą łodzi, a potem pewnego ranka zbudzi mnie pieśń i tupot nóg marynarzy, zgrzyt windy kotwicznej i szczęk okręcanego łańcucha; rozwiniemy przedni żagiel, białe domy portu przesuną się z wolna obok nas i rozpoczniemy rejs. Dążąc ku przylądkowi, statek przystroi się w płótno a potem, gdy wypłynie z portu, rozlegną się grzmiące uderzenia ogromnego zielonego morza i okręt podda się wiatrom, żeglując na południe. Ty, młody bracie, pojedziesz także z nami: gdyż dni mijają i nie wrócą nigdy, a Południe czeka na ciebie. Zakosztuj przygody, bądź posłuszny wezwaniu, teraz, nim minie nieodwołalna chwila. To nic wielkiego; usłyszysz za sobą trzaśniecie drzwiami, zrobisz jeden radosny krok i rzucisz dawne życie, a wkroczysz w nowe. Potem, pewnego dnia dalekiej, dalekiej przyszłości, możesz się tu znów przywlec, jeśli zechcesz, gdy wysączysz kielich do dna. Zasiądziesz wówczas nad swoją spokojną rzeką w towarzystwie licznych i pięknych wspomnień. Łatwo dogonisz mnie w drodze, jesteś młody, a ja się starzeję – idę wolno. Będę się ociągał i oglądał, aż wreszcie zobaczę cię kroczącego niecierpliwie z lekkim sercem, a na twoim pyszczku ujrzę odblask Południa.

Głos zanikał i w końcu ustał, niby brzmienie małej trąbki owada, które rozwiewa się szybko w ciszy. Szczur Wodny, nieruchomy i wpatrzony w dal, widział już tylko plamkę na białej powierzchni drogi.

Wstał machinalnie i zapakował koszyk od śniadania; robił to starannie, nie śpiesząc się. Machinalnie wrócił do domu, zebrał trochę niezbędnych rzeczy i skarbów, do których był szczególnie przywiązany, i wsadził je do torby; działał z rozmysłem, chodząc po pokoju niby lunatyk i nasłuchując wciąż z otwartym pyszczkiem. Zarzucił torbę na ramię, wybrał starannie gruby kij podróżny i wolno, lecz bez wahania przekroczył próg w chwili, gdy we drzwiach ukazał się Kret.

– Co to takiego? Dokąd idziesz, Szczurku? – spytał z wielkim zdumieniem, chwytając Szczura za ramię.

– Idę na Południe razem ze wszystkimi – szepnął Szczur sennym i monotonnym głosem, nie patrząc na Kreta. – Naprzód w stronę morza, a potem na statek i do wybrzeży, które mnie wzywają.

Parł zdecydowanie naprzód, nie śpieszył się, lecz trzymał się z uporem swego zamierzenia. Kret, przestraszony nie na żarty, stanął przed nim, a zajrzawszy mu w oczy zobaczył, że były szkliste, zacięte, a przy tym zmieniły barwę – stały się szare i prążkowane – nie byty to ślepki jego przyjaciela, tylko innego zwierzęcia. Siłą wciągnął Szczura do nory, powalił go i przytrzymał.

Szczur walczył rozpaczliwie czas jakiś, a potem zdawało się, że go siły opuściły; leżał cicho, wyczerpany i drżący, z zamkniętymi oczyma. Po chwili Kret pomógł mu wstać i posadził go na krześle, na które Szczur opadł skulony. Ciałem jego wstrząsały silne dreszcze, które z czasem przeszły w histeryczne, suche łkanie.

Kret zaryglował drzwi, wrzucił torbę do szuflady, szufladę zamknął i usiadł przy stole obok przyjaciela, czekając, aż minie ten niezwykły atak. Stopniowo Szczur pogrążył się w niespokojną drzemkę, przerywaną drgawkami i bezładnym szeptem o rzeczach dziwnych, niepojętych i obcych dla niewtajemniczonego Kreta; wreszcie zapadł w głęboki sen.

Kret, bardzo niespokojny, opuścił Szczura na jakiś czas, aby zająć się domowymi sprawami. Był już mrok, kiedy wrócił do salonu – zastał przyjaciela tam, gdzie go zostawił. Szczur nie spał już, lecz był milczący, obojętny i przygnębiony. Kret rzucił szybkie spojrzenie na jego oczy, zobaczył z wielkim zadowoleniem, że patrzą znów jasno i są jak dawniej ciemnobrązowe. Usiadł więc obok niego, usiłując go pocieszyć i dopomóc w wyjaśnieniu, co mu się przydarzyło.

Biedny Szczurek starał się wedle możności opowiedzieć wszystko, lecz czyż zimne słowa zdołają wyrazić to, co było głównie sugestią? Jak wywołać niesamowity głos morza, który mu śpiewał? Jak odtworzyć magię wspomnień o przeżyciach marynarzy? Nawet on sam, teraz gdy czar prysł i znikła ułuda, znajdował z trudem wytłumaczenie tego, co zdawało mu się przed kilku godzinami rzeczą jedyną i konieczną. Nic więc dziwnego, że nie potrafił przedstawić Kretowi jasno, co tego dnia przeżył.

Kret widział tylko jedno: atak czy napad przeszedł i Szczur wyzdrowiał, choć był wstrząśnięty i zmęczony. Lecz zdawało się, że stracił chwilowo wszelkie zainteresowanie sprawami, z których składało się jego codzienne życie; przestały go także zajmować miłe przewidywania tego, co przyniosą nadchodzące dni, nie obchodziły go czynności, które pociąga za sobą odmienna pora roku.

Kret z udaną obojętnością, jakby od niechcenia sprowadził rozmowę na żniwa będące w toku, na wysoko naładowane wozy i pracujące z natężeniem zaprzęgi, na coraz liczniejsze sterty i na wielki księżyc, który wstaje nad pustymi polami, gdzie pozostały okrągłe ślady zwiezionych kopek. Mówił o czerwieniejących wszędzie wkoło jabłkach, o brązowiejących orzechach, o powidłach i konserwach, o przygotowywaniu krzepiących napojów i gdy doszedł do środka zimy, do jej serdecznej wesołości i zacisznego życia domowego, wpadł po prostu w ton liryczny.

Szczur wyprostował się powoli i zaczął brać udział w rozmowie. Jego tępe oczy rozjaśniły się i straciły wyraz obojętności.

Po chwili taktowny Kret znikł niepostrzeżenie i wrócił z ołówkiem i kilku arkusikami papieru, które położył na stole pod łapką przyjaciela.

– Już bardzo dawno nie pisałeś wierszy – zauważył – mógłbyś spróbować dziś wieczorem, zamiast… no… zamiast wciąż medytować nad tym wszystkim. Zdaje mi się, że ci ulży, gdy coś naszkicujesz, znajdź choćby tylko rymy.

Szczur niecierpliwie odsunął papier, lecz Kret skorzystał z pierwszej okazji, aby dyskretnie wyjść z pokoju, a gdy zajrzał po jakimś czasie, Szczur był pochłonięty pracą – zginął dla świata; na przemian to pisał, to obgryzał koniec ołówka. Co prawda, o wiele częściej obgryzał ołówek niż gryzmolił, lecz Kret stwierdził z radością, iż kuracja poskutkowała.

Dalsze przygody Ropucha

Drzwi wejściowe do spróchniałego drzewa zwrócone były na wschód, toteż Ropuch obudził się wcześnie. Zbudziły go jasne promienie słońca, a także uczucie okropnego zimna, które sprawiło, że śniło mu się, iż był w domu, leżał w łóżku w chłodną zimową noc, we własnej pięknej sypialni z epoki Tudorów, a kołdry wstały sarkając i oświadczyły, że już dłużej nie zniosą tego zimna; potem zbiegły po schodach do kuchni, aby się ogrzać przy kominie, a Ropuch gonił za nimi boso przez nieskończenie długie, lodowato zimne korytarze, wyłożone kamiennymi flizami, i błagał, aby były rozsądne. Ropuch zbudziłby się prawdopodobnie o wiele wcześniej, gdyby nie to, że kilka tygodni sypiał na słomie rozłożonej na kamiennej podłodze i zapomniał prawie o miłym uczuciu, jakie wywołują ciepłe kołdry podciągnięte pod brodę.

Ropuch usiadł, przetarł oczy, roztarł nieszczęsne łapki i przez chwilę nie mógł sobie uprzytomnić, gdzie się znajduje; rozglądał się za dobrze znanym kamiennym murem i okratowanym oknem; potem serce skoczyło mu w piersi i przypomniał sobie wszystko – ucieczkę, pogoń; przypomniał sobie przede wszystkim, że jest wolny!

Wolny! Samo słowo, sama myśl o wolności warta była pięćdziesiąt kołder. Zrobiło mu się ciepło od głowy aż po czubki palców, gdy pomyślał o rozkosznym świecie, który oczekuje niecierpliwie jego triumfalnego powrotu, gotów służyć mu i pochlebiać, zabiegać o jego względy i dotrzymywać mu towarzystwa, jak bywało zawsze dawniej, nim spadło na niego nieszczęście.

Otrząsnął się z suchych liści i doprowadziwszy w ten sposób do porządku swoją toaletę wyszedł na miłe poranne słońce, skostniały, lecz pewny siebie, głodny, lecz pełen nadziei. Wypoczynek, sen i blask słońca rozproszyły nerwowy strach zeszłego wieczora.

W ten letni poranek cały świat należał do Ropucha. Las pokryty rosą był cichy i pusty, gdy się przez niego przedzierał; zielone pola, które ciągnęły się poza drzewami, czekały na jego rozkazy; a nawet wiejska droga, kiedy do niej podszedł, zdawała się jak zbłąkany pies wyglądać niespokojnie towarzystwa w tej ogólnej pustce. Lecz Ropuch ze swej strony szukał kogoś, kto by umiał mówić i powiedział mu wyraźnie, w którą stronę ma się skierować. Dobrze jest iść drogą, tak jak ona wskazuje i zaprasza, nie dbając, dokąd się zajdzie, lecz tylko wówczas, jeśli się ma lekkie serce i czyste sumienie, i pieniądze w kieszeni, jeśli się wie, że nikt nas nie szuka, aby wtrącić ponownie do więzienia. Ale lekkomyślny Ropuch, dla którego każda minuta była droga, miał ochotę kopnąć gościniec za jego bezradne milczenie.

Do wiejskiej drożyny przyplątał się wkrótce nieśmiały braciszek pod postacią kanału; wziął ją za rękę i kłusował przy niej z całym zaufaniem, lecz tak samo jak ona zachowywał się względem obcych milcząco i powściągliwie.

– Niech ich licho weźmie! – rzekł do siebie Ropuch. – W każdym razie jestem pewien jednego: oboje skądś przychodzą i dokądś dążą. Nie ma rady! – I szedł dalej cierpliwie brzegiem wody.

Spoza zakrętu ukazał się samotny koń stąpający z wysiłkiem, pochylony do przodu jakby pod wpływem ciężkich myśli. Od parcianego chomąta ciągnęła się długa, wyprężona lina, koniec jej nurzał się od czasu do czasu w wodzie lub ociekał perlistymi kroplami, zależnie od ruchów konia. Ropuch pozwolił koniowi przejść, a sam stanął, oczekując, co mu los przyniesie.

Obok niego prześliznęła się barka; pruła tępym dziobem spokojną wodę, a woda wirowała wokół niej. Jaskrawo pomalowana górna krawędź barki sunęła na poziomie ścieżki wydeptanej przez holowników, a jedyną osobą na barce była wysoka i tęga kobieta w płóciennym kapeluszu, opalone jej ramię spoczywało na drążku sterowym.

– Ładny mamy dziś poranek, proszę pani! – odezwała się kobieta, mijając Ropucha.

– O, tak, proszę pani! – odpowiedział Ropuch grzecznie, idąc ścieżką równolegle do barki. – Ładny ranek dla tych, co nie znajdują się w tak okropnym położeniu jak ja. Mam córkę zamężną, napisała do mnie list ekspresem, abym natychmiast przyjeżdżała: więc wyjechałam nic nie wiedząc, co się tam stało czy też ma się stać, ale jestem przygotowana na najgorsze, pani mnie zrozumie, jeśli pani jest matką! Porzuciłam swoje przedsiębiorstwo – bo trzeba pani wiedzieć, że mam pralnię i prasowalnię – i zostawiłam moje drobne dziatki na łasce losu, a nie ma na świecie bandy łobuzów bardziej psotnych i swawolnych. I niech pani sobie wyobrazi, zgubiłam wszystkie pieniądze, a w dodatku zabłądziłam. A o tym, co się dzieje z moją zamężną córką, wolę nawet nie myśleć!

– A gdzie mieszka pani córka? – spytała kobieta.

– Mieszka niedaleko – odparł Ropuch – w bliskości pięknego domu zwanego Ropuszym Dworem. To gdzieś w tej okolicy. Może pani słyszała o tym dworze?

– Ropuszy Dwór? Ależ ja sama jadę w tamtą stronę – odrzekła kobieta. – Ten kanał łączy się z rzeką nieco ponad Ropuszym Dworem; stamtąd nietrudno już trafić. Niech pani jedzie ze mną, odwiozę panią.

Skierowała barkę jak najbliżej brzegu, a Ropuch, dziękując stokrotnie i pokornie, wszedł lekko na pokład i usiadł z rozkoszą.

„Ropuch ma szczęście – pomyślał sobie. – Zawsze jakoś wypłynie".

– To pani ma pralnię – zaczęła uprzejmie kobieta, gdy barka popłynęła dalej. – I zapewne dobrą pralnię, jeśli się tak ośmielę wyrazić.

– Najlepszą pralnię w całym hrabstwie – rzekł Ropuch niedbale. – Wszyscy ziemianie przychodzą do mnie, nie poszliby gdzie indziej, choćby im płacono, znają mnie dobrze. Bo widzi pani, ja jestem wykwalifikowana w swoim fachu i sama wszystkiego doglądam. Pranie, prasowanie, krochmalenie, wykańczanie frakowych koszul dla panów – to wszystko robi się pod moim okiem!

– Ale chyba pani sama tego wszystkiego nie robi?

– O, mam od tego dziewczęta – powiedział swobodnie Ropuch. – Dwadzieścia dziewcząt mniej więcej i żadnej nie brak roboty. Ale pani wie, jakie są dziewczęta! Trzeba je bez przerwy popychać, takie jest moje zadanie.

– I ja tak uważam – zapewniła kobieta z przekonaniem. – Jestem jednak pewna, że pani potrafi trzymać krótko swoje leniuchy. Czy pani bardzo lubi prać?

– Kocham pranie – powiedział Ropuch – po prostu przepadam za nim! Jestem najszczęśliwsza, kiedy zanurzę w balii obie ręce. Co prawda, pranie idzie mi bardzo łatwo. Nie przedstawia dla mnie żadnego trudu. Czysta przyjemność, moja pani.

– Co za szczęście, że panią spotkałam! – odezwała się kobieta po namyśle. – To wielkie szczęście dla nas obu.

– Dlaczego? Co pani chce przez to powiedzieć? – spytał zaniepokojony Ropuch.

– Niech pani popatrzy na mnie – odrzekła właścicielka barki. – I ja również lubię pranie, zupełnie tak jak pani; zresztą wszystko jedno, lubię czy nie lubię, muszę sama prać swoją bieliznę przy takim koczowniczym życiu. A mój mąż to jest mądrala, wykręca się ciągle od roboty i barkę mi zostawia; nie mam nigdy wolnej chwili, aby zająć się swoimi sprawami. Przecież powinien teraz tu siedzieć i sterować albo pilnować konia – tylko że na szczęście koń jest rozsądny i bez pilnowania robi, co trzeba – a on tymczasem poleciał z psem próbować, czy nie uda im się schwytać gdzie królika na obiad. Powiedział, że mnie dogoni przy następnej śluzie. No, ale to może być rozmaicie, ja mu tam nie ufam, kiedy się wymknie z tym psem, który jest jeszcze gorszy od niego. A tymczasem, co ja mam zrobić z tym praniem?

– Et, co tam pranie! – powiedział Ropuch, któremu nie w smak był ów temat. – Niech no pani pomyśli o króliku. Będzie z pewnością tłusty i młody. A ma pani cebulę?

– Nie potrafię myśleć o niczym innym, tylko o moim praniu – odpowiedziała kobieta – i dziwi mnie, że pani może mówić o królikach, mając przed sobą taka przyjemność. Znajdzie pani stos bielizny w kącie kabiny. Jeśli pani wybierze po parę sztuk najpotrzebniejszych rzeczy – nie ośmielę się ich opisywać takiej damie jak pani, ale rozpozna je pani od razu – i przepierze je pani w balii podczas naszej przeprawy, będzie to dla pani przyjemność, jak to pani słusznie powiedziała, a dla mnie prawdziwa pomoc. Znajdzie pani przygotowaną balię i mydło, na blasze stoi kocioł, a jest i kubeł do nabierania wody z kanału. Będę przynajmniej wiedziała, że pani się bawi zamiast siedzieć tu bezczynnie i patrzeć na krajobraz, i ziewać od ucha do ucha.

– Niech pani da mi ster! – rzekł Ropuch, porządnie nastraszony. – A pani skończy sobie pranie po swojemu. Mogłabym zniszczyć pani bieliznę albo uprać ją nie tak, jak pani chce. Moja specjalność to męska bielizna, na tym znam się najlepiej!

– Oddać ster! – wykrzyknęła kobieta, śmiejąc się. – Trzeba długiej praktyki, aby porządnie kierować barką. A przy tym to nudne zajęcie, a ja chciałabym pani dogodzić. Nie, weźmie się pani do prania, do swojej ulubionej pracy, a ja zostanę przy sterze, z którym umiem się obchodzić. Cieszy mnie, że pani będzie miała taki bal. Niech pani nie stara się pozbawić mnie przyjemności dogodzenia pani.

Ropuch był przyparty do muru. Rozejrzał się na prawo i lewo, szukając ucieczki, i zobaczył, że jest za daleko od brzegu, aby móc wyskoczyć, więc pogodził się nagle z losem.

„Na co mi przyszło! – pomyślał z rozpaczą. – Przypuszczam jednak, że każdy głupiec potrafi prać".

Poszedł do kabiny po balię, mydło i inne potrzebne rzeczy, wybrał na chybił trafił kilka sztuk bielizny i zabrał się do roboty, usiłując przypomnieć sobie, co widział, kiedy zaglądał niekiedy do okien pralni.

Minęło długie pół godziny, a złość Ropucha coraz bardziej się wzmagała. Nic z tego, co robił, nie zdawało się dogadzać bieliźnie. Próbował i pieszczoty, i bicia, i szturchańców, lecz zatwardziała grzesznica nie dała się nawrócić i tylko uśmiechała się do niego w balii. Ropuch obejrzał się parę razy z niepokojem przez ramię na właścicielkę barki, lecz zdawała się patrzeć przed siebie zajęta sterowaniem. Plecy go bolały i zauważył z przerażeniem, że skóra na jego łapkach zaczyna się marszczyć, a Ropuch był bardzo dumny ze swych łapek. Mruknął pod nosem słowa, które nie powinny nigdy wychodzić z ust praczek ani ropuch, a mydło wyśliznęło mu się po raz pięćdziesiąty.

Wtem posłyszał wybuch śmiechu; wyprostował się i obejrzał. Kobieta przegięta w tył śmiała się do rozpuku, aż łzy spływały jej po policzkach.

– Przyglądałam się pani przez cały czas – wykrztusiła. – Myślałam właśnie, że pani musi być porządną blagierką, bo tak się pani wychwalała! Ładna z pani praczka! Założę się, że nie wyprała pani nawet ścierki przez całe swoje życie.

Złość, którą Ropuch dusił w sobie od jakiegoś czasu, zaczęła teraz kipieć – przestał zupełnie panować nad sobą.

– Ty prosta, ordynarna, tłusta babo! – wykrzyknął – Nie waż się przemawiać w taki sposób do osób stojących znacznie wyżej od ciebie! Praczka! Wiedz, że jestem Ropuchem, powszechnie znanym, szanowanym i niezwykłym Ropuchem! Być może, iż obecnie znajduję się pod wozem, ale nie zniosę, aby właścicielka barki naśmiewała się ze mnie!

Kobieta zbliżyła się i zajrzała bystrym wzrokiem pod czepek Ropucha.

– Prawda! Ropuch! – wykrzyknęła. – A to dopiero! Obrzydliwy, paskudny, pełzający Ropuch! I to w dodatku na mojej ślicznej, czystej barce! Nie, tego nie zniosę!

Puściła na chwilę ster, wyciągnęła ogromną rękę, schwyciła Ropucha za przednią łapkę, a drugą trzymała go mocno za tylną. Potem świat odwrócił się, barka zdawała się sunąć lekko po niebie, wiatr gwizdnął w uszach i Ropuch frunął w powietrze, koziołkując szybko po drodze.

Gdy wreszcie wpadł z głośnym pluskiem do kanału, woda okazała się nieco za zimna na jego gust, lecz jej temperatura nie zdołała ostudzić zapalczywego gniewu Ropucha ani złamać jego hartu. Wypłynął, parskając, na powierzchnię, a gdy otarł z pyszczka zielone drobiny rzęsy, zobaczył tłustą właścicielkę barki, która pokładając się ze śmiechu, spoglądała na niego znad steru. Ropuch, kaszląc i krztusząc się przysiągł sobie, że jej odpłaci za swoje.

Skierował się ku wybrzeżu, lecz perkalowa suknia bardzo mu w tym przeszkadzała, a gdy wreszcie dopłynął do lądu, było mu ciężko wdrapać się bez pomocy na stromy brzeg. Musiał odpocząć parę minut, zaczerpnąć tchu, a potem zebrawszy w obie ręce mokre spódnice, zaczął biec za barką, ile sił w łapkach, nie posiadając się z gniewu i łaknąc zemsty.

Właścicielka barki śmiała się jeszcze, gdy ją doścignął.

– Wymagluj się, ty praczko! – zawołała. – Odprasuj sobie twarz i ururkuj ją, będziesz mogła wówczas uchodzić za wcale przystojnego Ropucha!

Ropuch nie raczył odpowiedzieć. Pragnął porządnej zemsty, nie zaś tanich słownych triumfów, które byłby chętnie wypowiedział. Widział przed sobą to, o co mu chodziło; biegnąc szybko, dogonił konia, odwiązał i odrzucił linę, skoczył lekko na grzbiet szkapy i zmusił ją do galopu silnym kopaniem po bokach. Porzucił ścieżkę holowniczą i zwrócił konia na dróżkę o głębokich koleinach, kierując się w głąb lądu. Raz się tylko obejrzał i zobaczył, że barka ugrzęzła po drugiej stronie kanału, a jej właścicielka wymachuje rozpaczliwie rękami i krzyczy:

– Stój! Stój! Stój!

– Znam tę piosenkę, nie pierwszy raz ją słyszę – roześmiał się Ropuch „dodając koniowi ostrogi" w pełnym galopie.

Szkapa nie była zdolna do dłuższego wysiłku i galop jej przeszedł niebawem w kłusa, a kłus w stępa, lecz Ropuch zupełnie się tym zadowolił. Wiedział, że w każdym razie posuwa się naprzód, a barka stoi w miejscu. Złość przeszła mu teraz, kiedy dokonał czynu prawdziwie w jego mniemaniu mądrego. Przyjemnie mu było jechać na słońcu, trzymając się ścieżek i polnych dróżyn; usiłował zapomnieć, że już dużo czasu upłynęło od chwili, gdy spożył ostatni porządny posiłek. Kanał zostawił bardzo daleko za sobą.

W ten sposób Ropuch ujechał na szkapie kilka mil, drzemiąc w gorącym słońcu; wtem koń stanął, pochylił łeb i zaczął skubać trawę. Ropuch, zbudzony nagle, omal nie spadł na ziemię. Rozejrzawszy się wkoło spostrzegł, że dojechali do rozległego pastwiska, usianego jak okiem sięgnąć krzakami paproci i cierni. Niedaleko stał odrapany, cygański wóz, a obok na odwróconym cebrzyku siedział człowiek bardzo zajęty paleniem i zapatrzony w szeroki świat. Opodal płonęło ognisko z gałęzi, nad ogniem wisiał żelazny kocioł, a z kotła wydobywało się perkotanie, bulgotanie i nieokreślona, lecz obiecująca para. Dochodziły stamtąd różnorodne zapachy – gorące i smakowite, te zapachy kręciły się i wiły, aż wreszcie splotły się w jedną doskonałą, rozkoszną woń, która zdawała się wcieleniem duszy przyrody, objawionej swym dzieciom, przyrody – matki dosytu i zadowolenia. Ropuch przekonał się teraz, że nigdy dotychczas nie był prawdziwie głodny. To, czego doznawał z rana, było zaledwie lekką czczością. Dopiero teraz przyszedł prawdziwy głód, który należało szybko zaspokoić, gdyż mogło się to źle skończyć dla kogoś czy dla czegoś. Obejrzał dokładnie Cygana, zastanawiając się, co mu łatwiej przyjdzie: zwalczyć go czy też ugłaskać. Siedział więc Ropuch, węszył, wciągał zapach i patrzył na Cygana, Cygan zaś siedział, palił i patrzył na Ropucha.

Po chwili Cygan wyjął z ust fajkę i zauważył od niechcenia:

– Chce pani sprzedać tego konia?

Ropuch był zaskoczony. Nie wiedział, że Cyganie bardzo lubią handlować końmi i nie ominą po temu żadnej sposobności: nie zastanowił się, że wozy cygańskie są w ciągłym ruchu i potrzebują kogoś, kto by je ciągnął. Nie przyszło mu na myśl wymienić konia na monetę, lecz propozycja wysunięta przez Cygana zdawała się torować drogę ku dwóm rzeczom niezmiernie mu potrzebnym – ku pieniądzom i porządnemu śniadaniu.

– Co? – powiedział – Ja mam sprzedać mego ślicznego, młodego konia? O nie, to wykluczone! A kto by cały tydzień rozwoził bieliznę moim klientom? Przy tym zanadto się do niego przywiązałam, a on po prostu za mną przepada.

– Niech pani spróbuje przywiązać się do osła – podsunął Cygan. – To się zdarza u ludzi.

– Chyba nie widzicie – ciągnął dalej Ropuch – że ten mój piękny rumak jest dla was w ogóle za wspaniały. To koń pełnej krwi. Tak, tak, po części pełnej krwi. Ta szlachetna krew nie płynie oczywiście z tej strony, z której konia oglądacie, tylko z drugiej. To koń, co w swoim czasie otrzymywał nagrody na konkursach, nie znaliście go wówczas pewno, ale to widać na pierwszy rzut oka, o ile kto zna się cokolwiek na koniach. Nie, ani mi w głowie go sprzedawać! Powiedzcie jednak, ile moglibyście mi ofiarować za tego prześlicznego, młodego wierzchowca?

Cygan obejrzał konia, a potem z równą uwagą przyjrzał się Ropuchowi i znów spojrzał na konia.

– Szylinga od nogi – rzekł krótko; odwrócił się, paląc w dalszym ciągu i patrzył przed siebie udając, że go nic nie obchodzi.

– Szylinga od nogi! – wykrzyknął Ropuch. – Zaraz, poczekajcie chwilę, muszę się zastanowić, ile to wyniesie.

Zlazł z konia, puścił go na pastwisko, usiadł obok Cygana i liczył na palcach, a wreszcie powiedział:

– Szylinga od nogi? Przecież to wynosi równe cztery szylingi, nie więcej O, nie! Ani myślę zgodzić się na cztery szylingi za tego pięknego konia.

– A więc – rzekł Cygan – powiem pani, co zrobimy. Dam pani pięć szylingów, czyli trzy szylingi i sześć pensów więcej, niż to zwierzę warte. To moje ostatnie słowo.

Ropuch siedział i zastanawiał się długo i głęboko. Bo przecież był głodny i bez grosza, a do domu miał kawał drogi – nie wiedział ile – i nieprzyjaciele mogli go jeszcze szukać. W takim położeniu pięć szylingów wydaje się dużą sumą. Z drugiej strony nie było to chyba wiele za konia. Ale znów koń nic go nie kosztował, więc cokolwiek za niego otrzyma, będzie czystym zyskiem. Wreszcie odezwał się stanowczo:

– Słuchajcie no! Powiem wam, co zrobimy. I to moje ostatnie słowo. Wyłożycie sześć szylingów i sześć pensów gotówką, a w dodatku dacie mi na śniadanie, ile zdołam zjeść na jednym posiedzeniu, czerpiąc z tego żelaznego kotła, z którego dobywa się taki rozkosznie podniecający zapach. Ja wam w zamian przekażę mego ognistego, młodego konia wraz z piękną uprzężą i ozdobami, które na nim widzicie, to już bez żadnej dopłaty. Jeśli wam tego mało, powiedzcie – pojadę dalej. Jest tu niedaleko człowiek, który już od lat chce kupić mego konia.

Cygan strasznie narzekał i oświadczył, że jeszcze kilka podobnych transakcji – a będzie zrujnowany. Ale w końcu wyciągnął brudną, płócienną torbę z kieszeni w spodniach i wyliczył na łapę Ropuchowi sześć szylingów i sześć pensów. Potem znikł na chwilę w wozie i wrócił z dużym blaszanym talerzem, z nożem, widelcem i łyżką. Przechylił kocioł, a wspaniały potok gorącej, smakowitej potrawki spłynął na talerz. Była to zaiste najlepsza potrawka świata! Składały się na nią bażanty i kuropatwy, i kurczęta, i zające, i króliki, i pawie, i perliczki, i jeszcze parę innych rzeczy. Ropuch niemal ze łzami wziął talerz na kolana i wsuwał, wsuwał, wsuwał, wsuwał i wciąż prosił o jeszcze, a Cygan wcale mu nie żałował, Ropuch myślał sobie, że w życiu nie jadł tak smacznego śniadania.

Gdy nafaszerował się potrawką tak, że już więcej nie mógł zmieścić, wstał, pożegnał się z Cyganem i bardzo serdecznie z koniem. Cygan – jako że dobrze znał brzeg rzeki – wskazał mu, którędy ma iść i Ropuch wyruszył w drogę w jak najlepszym humorze. Był to zaiste zupełnie inny Ropuch niż Ropuch sprzed godziny. Słońce świeciło jasno, mokre ubranie wyschło, miał znowu pieniądze w kieszeni, zbliżał się do domu i do przyjaciół, a co najważniejsze – zjadł solidne śniadanie, gorące, pożywne. Czuł się wielki i silny, i beztroski, i zadufany w sobie.

Wędrując w wesołym usposobieniu, rozmyślał nad swymi przygodami i nad tym, że kiedy wszystko układało się jak najgorzej, znajdował zawsze jakieś wyjście. Pycha i zarozumiałość zaczęły w nim wzbierać.

– Ho, ho! – mówił sobie, krocząc z brodą zadartą do góry. – Jaki ze mnie mądry Ropuch. Nie ma z pewnością na całym świecie zwierzęcia równie mądrego jak ja. Nieprzyjaciele zamknęli mnie w więzieniu, otoczyli strażą, dozorcy pilnowali mnie dzień i noc, a ja wbrew temu wszystkiemu wydostałem się tylko i wyłącznie dzięki sprytowi połączonemu z odwagą. Gonili mnie przy użyciu parowozów i policji, i rewolwerów, a ja tylko pstryknąłem w palce i rozwiałem się ze śmiechem jak mgła w przestrzeni. Zostałem, niestety, wrzucony do kanału przez kobietę o tłustym cielsku i złośliwej duszy, i co z tego? Dopłynąłem do brzegu, schwyciłem jej konia, odjechałem w tryumfie i sprzedałem konia za pełną kieszeń pieniędzy i za doskonałe śniadanie. Ho, ho! Jestem Ropuch! Piękny Ropuch! Powszechnie lubiany Ropuch! Znany szczęściarz Ropuch!

Zarozumiałość tak go poniosła, że skomponował pieśń pochwalną na swój własny temat i wyśpiewywał ją na cały głos, choć nie było nikogo, kto by mógł ją słyszeć. Żadne zwierzę nie skomponowało nigdy pieśni tak przepojonej pychą jak ta pieśń Ropucha:

W ciągu wieków ludzkość cała
Niejednego zucha miała,
Lecz większego nie ma zucha
Ponad niego... nad Ropucha!

W ciężkim znoju, w wielkim trudzie
Zdobywają mądrość ludzie;
Jakże wiedza ich jest krucha,
Gdy się wgłębisz w mózg Ropucha.

Kiedy cały ród zwierzęcy
Z płaczem rzewnym czekał tęczy,
Kto zawołał „Ziemia sucha"?
To zasługa jest Ropucha.

Cała armia salutuje,
Kiedy drogą maszeruje,
Króla widzi, wodza, ducha?
Wiedzą wszyscy, że Ropucha.

Zadumała się królowa,
W oknie siedzi, boli głowa.
„Ach, jakaż tu cisza głucha!
Paziu, skocz no po Ropucha".

Przekład Zofii Baumowej

Było jeszcze o wiele więcej strofek w tym rodzaju, ale tamte są pełne tak straszliwej pychy, że nie nadają się do druku. Te, które przytoczyłem, wydały mi się najbardziej umiarkowane.

Ropuch śpiewał idąc, a śpiewając maszerował dalej i z każdą chwilą coraz bardziej się puszył. Lecz jego dumę czekała niebawem przykra porażka. Po przebyciu kilku mil bocznymi dróżkami dotarł do szosy, a kiedy na nią skręcił i spojrzał wzdłuż białej wstęgi, zobaczył, że zmierza w jego stronę mała cętka, która zmieniła się w większą kroplę, a potem w kleks, a potem w coś znajomego i wreszcie podwójna nuta ostrzegawczego sygnału, aż nadto dobrze znana Ropuchowi, wpadła w zachwycone jego ucho.

– O, to rozumiem! – powiedział silnie podniecony. – To jest prawdziwe życie, wielki świat, który tak długo musiał się beze mnie obywać. Zatrzymam tych moich kolegów po fachu i puszczę im parę blag z rodzaju tych, które cieszyły się dotychczas takim powodzeniem; oczywiście podwiozą mnie, ja wówczas będę ich w dalszym ciągu nabierał, a przy odrobinie szczęścia skończy się może na tym, że zajadę samochodem do Ropuszego Dworu. Borsuk dostanie po nosie.

Z wielką pewnością siebie wystąpił na środek szosy, aby zatrzymać samochód, który szybko się zbliżał, lecz zwolnił, podjeżdżając do polnej dróżki. Nagle Ropuch zbladł straszliwie, serce w nim zamarło, kolana zadrżały i ugięły się pod nim, zrobiło mu się słabo, zwinął się i upadł. Nic w tym dziwnego: biedne zwierzę poznało w zbliżającej się maszynie samochód, który skradło na dziedzińcu hotelu „Pod Czerwonym Lwem" w ten nieszczęsny dzień, kiedy zaczęły się wszystkie jego tarapaty. Podróżni zaś w samochodzie to byli ci sami ludzie, którym Ropuch przyglądał się jedząc śniadanie w kawiarni.

Ropuch leżał na ziemi na kształt nędznej, nieszczęsnej szmatki i szeptał do siebie z rozpaczą:

– Wszystko przepadło. Już teraz po wszystkim. Znowu kajdany i policjanci! Znowu więzienie! Znowu chleb i woda. Och, jaki głupiec ze mnie! Potrzeba mi było stąpać z pychą po ziemi, wyśpiewując pieśni pełne zarozumiałości, i w biały dzień zastępować ludziom drogę zamiast kryć się, póki nie zapadnie noc, i wrócić spokojnie chyłkiem do domu! O nieszczęsny Ropuchu! O pechowy Ropuchu!

Straszliwy samochód podjeżdżał coraz bliżej, aż Ropuch wreszcie posłyszał, że zatrzymał się tuż przy nim. Dwóch panów wysiadło i obeszło wkoło drżącą, nędzną kupeczkę leżącą na szosie, a jeden z nich powiedział:

– Mój Boże! Jakie to smutne! Staruszka – najwidoczniej praczka – zemdlała na drodze. Może biedaczce zrobiło się gorąco, a może nic dzisiaj nie jadła. Weźmy ją do samochodu i podwieźmy do najbliższej wsi, ma tam z pewnością przyjaciół.

Zanieśli Ropucha z pieczołowitością do samochodu, usadowili go na miękkich poduszkach i wyruszyli w drogę.

Gdy Ropuch posłyszał, że przemawiają z taką dobrocią i litością i upewnił się, że go nie poznali, wstąpiła w niego otucha; otworzył ostrożnie najpierw jedno oko, a potem drugie.

– Spójrzcie – odezwał się jeden z panów – już jej lepiej! Świeże powietrze dobrze na nią działa. Jak pani się czuje teraz?

– Stokrotnie panu dziękuję – odparł Ropuch słabym głosem – Jest mi znacznie lepiej.

– To doskonale – rzekł właściciel samochodu. – Niech pani siedzi zupełnie bez ruchu, a przede wszystkim niech pani nie rozmawia.

– Nie będę mówiła – powiedział Ropuch – myślę tylko, że gdybym mogła usiąść na przednim siedzeniu obok szofera, świeże powietrze owiewałoby mi całą twarz i zrobiłoby mi się niedługo całkiem dobrze.

– Jaka to rozsądna kobieta! – zauważył właściciel samochodu. – Oczywiście, że panią tam umieścimy.

Pomogli Ropuchowi przedostać się na przednie siedzenie i pojechali dalej.

Ropuch zupełnie odzyskał siły. Usiadł prosto i rozejrzał się, usiłując poskromić drżenie, tęsknotę i dawne zachcianki, które zbudziły się, opętały go i zawładnęły nim niespodzianie.

„To przeznaczenie! – powiedział sobie. – Nie ma co z tym walczyć!" – i zwrócił się do siedzącego obok szofera.

– Proszę pana – rzekł – chciałabym, aby pan pozwolił mi łaskawie spróbować poprowadzić samochód. Przyglądałam się panu uważnie, wydaje mi się to takie łatwe i zajmujące; chciałabym móc powiedzieć moim przyjaciołom, że raz w życiu kierowałam samochodem.

Szofer roześmiał się tak serdecznie na tę propozycję, że właściciel samochodu zapytał, co się stało, a posłyszawszy odpowiedź, powiedział ku radości Ropucha:

– Brawo, moja pani! Podoba mi się pani animusz. Można jej pozwolić na tę próbę; uważajcie tylko na nią. Przecież szkody nie zrobi.

Ropuch skwapliwie wdrapał się na miejsce opuszczone przez szofera, wziął w łapy kierownicę, wysłuchał z udaną pokorą wskazówek i puścił w ruch motor. Z początku jechał bardzo wolno i uważnie, bo postanowił sobie być ostrożnym.

Pan na tylnym siedzeniu klaskał w ręce, a Ropuch słyszał, jak mówił:

– Doskonale się do tego zabiera. Pomyśleć tylko, że praczka porządnie prowadzi samochód, i to próbując po raz pierwszy!

Ropuch pojechał trochę szybciej, a potem prędzej i coraz prędzej. Posłyszał, że właściciel samochodu zawołał ostrzegawczo:

– Ostrożnie, moja praczko!

To go rozgniewało i zaczął tracić głowę.

Szofer usiłował Ropuchowi przeszkodzić, lecz ten przygwoździł szofera łokciem do siedzenia i puścił samochód z największą szybkością.

Pęd powietrza, warkot motoru i drganie samochodu uderzyły Ropuchowi do słabego łebka i upoiły go.

– Praczka! Nic podobnego! – wykrzyknął nieopatrznie. – Ha, ha! Jestem Ropuch, ten co uprowadza samochody, co kruszy zamki więzienia. Ropuch, co zawsze potrafi umknąć! Siedźcie spokojnie, poznacie, czym jest prawdziwy kierowca; jesteście w rękach sławnego, zręcznego, nieustraszonego Ropucha.

Wszyscy podróżni zerwali się i z krzykiem oburzenia rzucili się na Ropucha.

– Chwytać go! – zawołali. – Chwytać Ropucha, to podłe zwierzę, co skradło nasz samochód! Związać go! Zakuć w kajdany! Zawlec do najbliższego posterunku policyjnego! Precz ze zbrodniarzem, z niebezpiecznym Ropuchem!

Niestety! Powinni byli zastanowić się, powinni byli zachować większą ostrożność i pomyśleć zawczasu, aby w jakiś sposób zatrzymać samochód, zanim zaczęli wyprawiać takie harce. Ropuch półobrotem kierownicy skręcił w bok i wjechał na niski żywopłot okalający szosę. Samochód dał potężnego susa, podróżni podskoczyli gwałtownie, a koła samochodu zaczęły ubijać gęsty muł przydrożnej sadzawki do pławienia koni.

Ropuch frunął w powietrze, wznosząc się prosto w górę i zakreślając delikatnie łuk niby jaskółka. Ów ruch podobał mu się i właśnie medytował, czy będzie leciał tak długo, aż wyrosną mu skrzydła i przerodzi się w Ropucha-ptaka, kiedy z głośnym plaśnięciem padł na plecy w bujną trawę łąki.

Zerwał się, usiadł i zobaczył samochód niemal zatopiony w sadzawce, a obu panów i szofera, którym przeszkadzały długie płaszcze, usiłujących daremnie wydostać się z wody.

Ropuch podniósł się szybko i zaczął biec na przełaj przez pola, ile tylko miał sił; przełaził przez płoty, przeskakiwał rowy, aż zmęczył się, zadyszał i musiał zwolnić biegu. Gdy odsapnął nieco i mógł spokojnie zebrać myśli, zaczął chichotać, a potem śmiać się do rozpuku i tak się śmiał, że musiał usiąść pod płotem.

– Cha! Cha! Cha! – wołał zachwycony sobą. – Ropuch znowu górą. Tak zwykle bywa. Kto zmusił ich, aby podwieźli Ropucha? Kto wydostał się na przednie siedzenie pod pozorem zaczerpnięcia świeżego powietrza? Kto namówił ich, aby pozwolili Ropuchowi kierować samochodem? Kto zawiózł ich do sadzawki? Kto umknął, uniósłszy się wesoło i bez szwanku w powietrze, a zostawił bojaźliwych podróżnych w błocie, gdzie słusznie tkwić powinni? Oczywiście Ropuch! Mądry Ropuch! Wielki Ropuch! Dobry Ropuch!

I znowu zaczął śpiewać, śpiewać na cały głos:

Do sadzawki auto pędzi.
Co to będzie? Co to będzie?
Kto tak świetnie zgrywa zucha?
Ach, poznaję spryt Ropucha!

– O, jaki jestem mądry! Jaki mądry! Jaki mąd…

Uszu Ropucha dobiegł z oddali hałas, na który odwrócił łebek. Okropność! Nieszczęście! Rozpacz!

Zobaczył, że szofer w wysokich skórzanych butach i dwóch barczystych wiejskich policjantów gonią go ze wszystkich sił, a dzieli ich od niego zaledwie szerokość dwóch pól.

– Oj, oj, oj! – wykrztusił zadyszany. – A to osioł ze mnie! Zarozumiały osioł bez głowy! Znowu się przechwalałem!

Znowu wrzeszczałem i wyśpiewywałem! Znowu siedziałem nadęty. O Rety! Rety! Rety!

Obejrzał się i zobaczył ku swemu przerażeniu, że go doganiają. Biegł co sił w łapkach, ale oglądał się wciąż i widział, iż pościg stale się zbliża. Wydobywał resztki sił, lecz był zwierzęciem otyłym, o krótkich łapkach, a tamci coraz bardziej się zbliżali; czuł ich obecność tuż za sobą. Przestał zważać, dokąd biegnie, kłusował zawzięcie na ślepo, oglądając się przez ramię na triumfujących wrogów, kiedy nagle ziemia umknęła mu spod łapek, chwycił się kurczowo powietrza i plusk! znalazł się powyżej uszu w głębokiej, bystrej wodzie, która poniosła go z niezwalczoną siłą; uświadomił sobie, że w panicznym strachu wbiegł prosto do rzeki.

Wypłynął na powierzchnię i starał się chwycić trzcin lub szuwarów rosnących na wodzie tuż pod brzegiem, lecz prąd był tak silny, że wydzierał mu je z łapek.

– O rety! – wysapał biedny Ropuch. – Nigdy już nie ukradnę samochodu. Nigdy nie będę śpiewał pieśni pełnej zarozumiałości...

Znów poszedł na dno i wypłynął, krztusząc się i dławiąc, a po chwili zobaczył, że zbliża się do dużej ciemnej jamy, położonej na brzegu nieco powyżej jego łebka. Gdy prąd przenosił go mimo, wyciągnął łapkę i chwycił za krawędź jamy. Potem wolno i z trudem podciągnął się ponad wodę, aż wreszcie zdołał oprzeć się łokciami o brzeg. Tkwił tak przez parę minut, dysząc i sapiąc, gdyż był zupełnie wyczerpany.

Gdy wzdychał i dmuchał, patrząc przed siebie w ciemną czeluść nory, coś zabłysło i mrugnęło w jej głębi; coś małego i jasnego, co ruszyło w stronę Ropucha. Gdy to „coś" zbliżyło się, zarysował się pyszczek, i to pyszczek dobrze znany.

Mały brązowy pyszczek z wąsami.

Poważny, okrągły pyszczek o zgrabnych uszkach i jedwabistych włosach.

Był to Szczur Wodny.

„Polały się jego łzy jak wiosenny deszcz"

Szczur wyciągnął kształtną brązową łapkę, chwycił Ropucha za kark, szarpnął, pociągnął mocno i zmoknięty Ropuch wzniósł się wolno, lecz pewnie ponad krawędź nory, aż wreszcie stanął w holu cały i zdrowy. Był umazany błotem i oblepiony zielskiem, a woda ściekała z niego strumieniami, lecz czuł się wesół i szczęśliwy jak dawniej, gdy znalazł się znowu w domu przyjaciela; czas ucieczek i forteli przeminął i Ropuch mógł odłożyć na bok przebranie niegodne jego stanowiska, przebranie, do którego zmuszał się z przykrością.

– O Szczurku! – zawołał. – Nie możesz sobie wyobrazić, co ja przeszedłem od czasu, kiedy cię widziałem po raz ostatni! Tyle nieszczęść! Tyle cierpień znoszonych z godnością! A te ucieczki! Te przebrania, fortele, a wszystko niezwykle mądrze obmyślone i równie mądrze wykonane. Byłem w więzieniu – i ma się rozumieć, wydostałem się stamtąd! Wrzucono mnie do kanału – i dopłynąłem do brzegu! Ukradłem konia – i sprzedałem go za dużą sumę. Nabrałem wszystkich – i zmusiłem ich, aby robili ściśle to, co chciałem.

O, nie ulega wątpliwości, że sprytny ze mnie Ropuch! Wiesz, jaki był mój ostatni wyczyn? Poczekaj, zaraz ci opowiem.

– Ropuchu – rzekł Szczur poważnie i stanowczo – idź w tej chwili na górę, zdejmij tę perkalową szmatę, która wygląda, jakby należała do jakiejś praczki, oczyść się porządnie, włóż na siebie jedno z moich ubrań i postaraj się, o ile to możliwe, nabrać wyglądu dżentelmena, gdyż moje oczy nie oglądały w życiu równie obszarpanego, zaszarganego i nędznego stworzenia! Dość tych przechwałek, dość pychy, marsz! Później coś ci powiem.

Ropuch w pierwszej chwili chciał zostać i ostro odpowiedzieć Szczurowi. Wciąż nim komenderowali, gdy siedział w więzieniu, a tu zaczyna się znowu to samo i na dobitkę rozkazy wydaje jakiś tam Szczur. Lecz spostrzegł swoje odbicie w lustrze wiszącym nad półką na kapelusze, zobaczył wyrudziały czepek zawadiacko nasunięty na jedno oko i zmienił zdanie; poszedł szybko i pokornie na górę do łazienki. Tam umył się i oczyścił dokładnie, zmienił ubranie i przez długi czas stał i przeglądał się w lustrze z przyjemnością i dumą; myślał sobie, co to za idioci ci wszyscy ludzie, którzy choć przez chwilę mogli go brać za praczkę.

Gdy zszedł na dół, drugie śniadanie stało na stole. Ropuch bardzo się ucieszył na ten widok, bo wiele przeżył i niemało użył ruchu od czasu znakomitego śniadania, które dał mu Cygan. Podczas jedzenia opowiedział Szczurowi wszystkie swoje przygody, kładąc główny nacisk na własną mądrość, na przytomność umysłu okazywaną w potrzebie i na przebiegłość, którą się ratował, gdy było z nim krucho; przedstawiał wszystko w taki sposób, że jego przeżycia wydawały się wesołe i bardzo urozmaicone. Lecz im dłużej mówił i przechwalał się, tym Szczur stawał się poważniejszy i bardziej milczący.

Gdy wreszcie Ropuch umilkł, zapanowała chwilowa cisza, a potem odezwał się Szczur:

– Mój Ropuszku, nie chciałbym cię martwić po tym wszystkim, co ci się przydarzyło, ale mówiąc poważnie, czy ty nie czujesz, jakiego robisz z siebie osła? Sam przyznajesz, że byłeś zakuty w kajdany, uwięziony, zagłodzony, że za tobą gonili, że byłeś śmiertelnie przerażony, że cię znieważali, kpili z ciebie i że wreszcie zostałeś sromotnie wrzucony do wody, i to przez kogo? – przez kobietę! Cóż w tym zabawne-

go? Gdzie tu przyjemność? A wszystko dlatego, że zachciało ci się ukraść samochód. Wiesz dobrze, że od chwili kiedy po raz pierwszy zobaczyłeś samochód, masz tylko same strapienia. Ale jeśli chcesz gwałtem bratać się ze szczątkami maszyny w pięć minut po wyruszeniu w drogę, jak to zwykle bywa – czyż muszą to być koniecznie szczątki kradzionego auta? Bądź sobie kaleką, jeśli to uważasz za przyjemność, bądź dla odmiany bankrutem, jeśli tak postanowiłeś, ale po co masz być przestępcą? Kiedy nabierzesz wreszcie rozsądku? Kiedy pomyślisz o swych przyjaciołach i postarasz się przynosić im zaszczyt? Czy myślisz, że mi jest przyjemnie, gdy słyszę, chodząc po świecie, jak zwierzęta mówią o mnie: „To ten, który trzyma sztamę z przestępcą"?

Ropuch był na szczęście stworzeniem na wskroś dobrodusznym i nie obrażał się nigdy, gdy go strofowali prawdziwi przyjaciele. A nawet jeśli bardzo się do czegoś zapalił, dostrzegał zawsze i odwrotną stronę medalu. Więc chociaż podczas poważnej przemowy Szczura buntował się i powtarzał po cichu: – To było jednak przyjemne! Bardzo przyjemne! – i wydawał dziwne odgłosy: k-i-k-k-k-i i poop-p-p i jeszcze inne dźwięki podobne do powstrzymywanego parskania lub do odgłosów, jakie wydają butelki z wodą sodową, gdy się je otwiera – to kiedy Szczur zamilkł, Ropuch westchnął głęboko i powiedział bardzo mile, z pokorą:

– Masz słuszność, Szczurku! Jaki ty jesteś zawsze rozsądny! Tak, byłem zarozumiałym osłem, widzę to; ale od tej chwili stanę się porządnym Ropuchem, tamto się więcej nie powtórzy. I do samochodów już się tak gwałtownie nie palę od ostatniego nurka w tej twojej rzece. Gdy wisiałem na krawędzi twej nory i ledwie mogłem oddech pochwycić, przyszedł mi nagle pomysł, świetny pomysł – co do łodzi motorowych – no, no! Nie irytuj się, mój stary, nie tup łapkami, nie wywracaj wszystkiego, to był tylko pomysł, o którym nie będziemy teraz mówili. Wypijmy kawę, wypalmy fajkę, porozmawiajmy, a potem pójdę pomaleńku do Ropuszego Dworu, włożę własne ubranie i puszczę wszystko w ruch tak jak dawniej. Dość już miałem przygód, będę teraz prowadził spokojne, stateczne, rozsądne życie, zajmę się ulepszaniem gospodarstwa i od czasu do czasu ogrodnictwem. Znajdzie się u mnie zawsze jakiś obiad, gdy przyjaciele przyjdą mnie odwiedzić; kupię sobie konia i wózek, którym będę trząsł się po okolicy jak za dawnych dobrych czasów, nim opanował mnie niepokój i zachciało mi się dokonywać jakichś czynów.

– Pójdziesz pomaleńku do Ropuszego Dworu?! – krzyknął Szczur bardzo podniecony. – Co ty mówisz? Czy ty nic nie wiesz?

– Nie wiem czego? – spytał Ropuch, blednąc. – Dalej, Szczurku! Mów prędzej! Nie oszczędzaj mnie! Czego nie wiem?

– Czy ty chcesz powiedzieć – wrzasnął Szczur, bijąc pięścią w stół – że nic nie słyszałeś o łasicach i tchórzach?!

– Co, o mieszkańcach puszczy? – przerwał Ropuch, drżąc na całym ciele. – Nic nie słyszałem! Cóż oni zrobili?

– I o tym, jak te zwierzęta opanowały Ropuszy Dwór? – ciągnął Szczur dalej.

Ropuch oparł łokcie na stole, brodę położył na łapach, a w każdym jego oku zebrała się duża łza, łzy spłynęły i padły na stół: kap! kap!

– Mów dalej, Szczurku – szepnął po chwili – powiedz mi wszystko. Najgorsze już przeszło. Jestem znów sobą, mogę znieść wiele.

– Gdy ty... wpadłeś w tę... tę... twoją biedę – podjął Szczur wolno i z naciskiem. – To znaczy... gdy... zniknąłeś z towarzystwa z powodu nieporozumień o ten... ten samochód, co to wiesz..

Ropuch skinął łebkiem.

– Dużo się o tym rzeczywiście mówiło – ciągnął dalej Szczur – nie tylko na brzegu, ale i w puszczy. Zwierzęta – jak to zwykle bywa – podzieliły się na dwa obozy. Te z brzegu rzeki wzięły twoją stronę, uznały, że ludzie podle się z tobą obeszli, że nie ma teraz sprawiedliwości na ziemi. Ale mieszkańcy puszczy wymyślali na ciebie, twierdząc, iż dobrze ci tak, czas już położyć kres wybrykom tego rodzaju. Nabrali tupetu, chodzili i rozprawiali, że już tym razem koniec – że nie powrócisz nigdy, nigdy.

Ropuch w milczeniu raz jeszcze skinął łebkiem.

– Takie to są paskudne stworzenia – mówił dalej Szczur. – Ale Borsuk i Kret utrzymywali wbrew wszystkiemu, że wrócisz niedługo; nie wiedzieli, jak się to stanie, ale mówili, że wrócisz.

Ropuch wyprostował się na krześle i lekko uśmiechnął.

– Przytaczali przykłady z historii – ciągnął Szczur. – Mówili, że prawa karne były zawsze bezsilne wobec bezczelności forteli podobnych do twoich i potęgi, jaką przedstawia dobrze wypchana kiesa. Postanowili też rzeczy swoje przenieść do Ropuszego Dworu i spać tam, i przewietrzać dom, i mieć wszystko gotowe na twój przyjazd. Nie przeczuwali, ma się rozumieć, co się stanie, ale mieli pewne podejrzenie co do zwierząt z puszczy. A teraz przechodzę do najsmutniejszej, najbardziej tragicznej części mego opowiadania. Pewnej ciemnej nocy – a była to bardzo ciemna noc, wiatr wył i lało jak z cebra – banda tchórzy uzbrojonych od stóp do głów podkradła się cicho aleją wjazdową do głównego wejścia. Równocześnie partia kun, zdecydowanych na wszystko, przedostała się przez ogród warzywny, opanowując tylne podwórze i oficyny, podczas gdy podjazdowa kompania łasic, które nie cofają się przed niczym, zajęła oranżerię i pokój bilardowy i zdobyła oszklone drzwi wychodzące na trawnik. Kret i Borsuk siedzieli w gabinecie przy kominku, opowiadając sobie różne historyjki i nic nie podejrzewając, gdyż nie była to noc odpowiednia na wędrówki zwierząt, kiedy ci krwiożerczy nędznicy wyłamali drzwi i runęli na nich ze wszystkich stron. Nasi przyjaciele walczyli wedle sił i możności, ale nadaremnie. Nie mieli broni, zaskoczono ich niespodzianie, a przy tym cóż mogą zdziałać dwa zwierzątka przeciwko setkom? Srogo zbici kijami, zostali wyrzuceni na dwór, na deszcz i zimno, a w dodatku porządnie im nawymyślano i naurągano.

W tym miejscu nieczuły Ropuch uśmiechnął się z ironią, lecz szybko się opanował, usiłując przywołać na pyszczek wyraz niezmiernej powagi.

– I od tamtej pory mieszkańcy puszczy siedzą w Ropuszym Dworze i gospodarują tam, jak im się żywnie podoba – mówił dalej Szczur – Pół dnia wylegują się w łóżkach, śniadania jadają o rozmaitych porach, a dom jest w takim stanie (jak mi mówiono), że wprost patrzeć na niego nie można.

Zjadają twoje zapasy, spijają twoje wina, dostarczasz im tematu do głupich żartów, śpiewają ordynarne piosenki o... o więzieniach, urzędach, policji, ohydne piosenki, całkiem niedowcipne, na tematy osobiste, i rozpowiadają dostawcom i wszystkim, że się wprowadzili na dobre.

– Ach, więc to tak! – zawołał Ropuch, wstając i chwytając za kij – Zaraz się tym zajmę!

– Nic nie poradzisz, Ropuchu! – krzyknął za nim Szczur. – Wróć lepiej i usiądź, ściągniesz tylko na siebie jakąś biedę.

Lecz Ropuch wyszedł i nie dał się zatrzymać. Maszerował szybko drogą, z kijem na ramieniu, srożąc się i mrucząc ze złości, aż dotarł do bramy wjazdowej swego dworu. Raptem znad ogrodzenia wyjrzała żółta kuna uzbrojona w karabin.

– Kto idzie? – spytała ostro.

– Terefere! – rzekł Ropuch ze złością. – Cóż to za sposób przemawiania do mnie?! Wyłaź stamtąd w tej chwili albo...

Kuna nie odpowiedziała ani słowa, tylko wycelowała w niego karabin. Ropuch przezornie padł na ziemię i wzz! kula świsnęła mu nad łebkiem.

Zaskoczony Ropuch zerwał się na równe łapy i puścił się biegiem, ile tylko miał sił. Za sobą słyszał śmiech Kuny i inne wstrętne śmieszki, które mu wtórowały.

Wrócił bardzo zgnębiony i wszystko opowiedział Szczurowi Wodnemu.

– Czy ci nie mówiłem? – rzekł Szczur. – To na nic. Mają rozstawione straże i wszyscy są uzbrojeni. Musisz czekać.

Ropuch nie miał jednak ochoty poddać się od razu. Wyciągnął czółno, popłynął w górę rzeki, tam gdzie ogród Ropuszego Dworu schodził aż na jej brzeg, a gdy zobaczył swój stary dwór, wsparł się na wiosłach i ostrożnie rozejrzał po okolicy. Wszędzie – jak mu się wydało – panował spokój i była pustka. Widział cały front Ropuszego Dworu błyszczący w świetle wieczornego słońca; widział gołębie, które siedziały parami wzdłuż dachu, i ogród gorejący od kwiatów, i zatokę wiodącą do szopy z lodziarni, a nad nią mały, drewniany mostek, to wszystko ciche, niezamieszkane, oczekujące najwidoczniej jego powrotu; postanowił, że najpierw spróbuje dostać się do szopy z łódkami. Skierował się bardzo ostrożnie w stronę ujścia zatoki i właśnie znajdował się pod mostem, kiedy... rrrum! duży kamień rzucony z góry przebił dno łodzi, która napełniła się wodą i zatonęła, a Ropuch ledwie zdołał utrzymać się na głębokiej wodzie. Spojrzał w górę i zobaczył dwie łasice przechylone nad poręczą mostu, przyglądające mu się z wielkim ukontentowaniem.

– Na przyszły raz przyjdzie kolej na twój łeb, Ropuchu! – zawołały.

Oburzony Ropuch dopłynął do brzegu, a łasice zataczały się ze śmiechu, podtrzymując się wzajemnie; wybuchały chichotem wciąż na nowo, aż wreszcie dostały niemal spazmów.

Ropuch odbył piechotą męczącą drogę powrotną i znowu opowiedział Szczurowi Wodnemu o swym bolesnym zawodzie.

– Przecież ci mówiłem – rzekł Szczur z wielką złością. – Teraz zastanów się, coś ty zrobił: przepadła moja ulubiona łódź, i to z twojej winy! A w dodatku zupełnie zniszczyłeś śliczny garnitur, który ci pożyczyłem. Doprawdy, Ropuchu, dziwię się, że ty jeszcze masz przyjaciół!

Ropuch od razu zmiarkował, jak źle i lekkomyślnie postąpił. Uznał swe błędy, przeprosił Szczura za stratę łodzi i zniszczone ubranie i udobruchał go, okazując szczerą skruchę, którą rozbrajał zawsze krytyki przyjaciół i pozyskiwał na nowo ich względy.

– Szczurku – powiedział – widzę, że byłem samowolny i uparty. Odtąd, wierz mi, będę pokorny i uległy, nic nie przedsięwezmę bez twojej życzliwej rady i aprobaty.

– Jeśli tak – rzekł poczciwy Szczur, już udobruchany – to zaraz posłuchaj mojej rady: zważywszy na późną godzinę usiądź, zjedz kolację, która będzie za chwilę na stole, i uzbrój się w cierpliwość. Jestem bowiem przekonany, że nic nie możemy zrobić, póki nie zobaczymy się z Borsukiem i Kretem, póki nie posłyszymy od nich ostatnich nowin i nie naradzimy się z nimi, i póki nam nie wyjawią swego zdania.

– Ach tak, oczywiście, Kret i Borsuk – rzekł Ropuch lekceważąco. – Co się z nimi stało? Zupełnie o nich zapomniałem.

– Słusznie, że o nich pytasz – powiedział Szczur z wyrzutem. – Gdy ty jeździłeś po świecie luksusowymi samochodami i galopowałeś dumnie na koniach pełnej krwi, i spożywałeś śniadania z najprzedniejszych darów żyznej ziemi, te dwa biedne, oddane ci zwierzęta przebywały na dworze w każdą pogodę, obywając się we dnie bez wszelkich wygód, a nocami śpiąc na twardym posłaniu. Pilnowały twego domu, patrolowały twoje dobra, nie spuszczały z oka łasic i tchórzów i tworzyły plany i projekty mające na celu odzyskanie twego dobytku. Doprawdy, nie jesteś wart tak wiernych przyjaciół, Ropuchu. Kiedyś, gdy już będzie za późno, pożałujesz, żeś ich bardziej nie cenił.

– Niewdzięczne ze mnie stworzenie, wiem o tym – załkał Ropuch, roniąc gorzkie łzy. – Pozwól mi pójść i poszukać ich w tę ciemną, zimną noc; chcę z nimi dzielić niewygody; postaram się dowieść… Czekaj no! Słyszę szczęk talerzy; nareszcie kolacja! Wiwat! Chodź, Szczurku!

Szczur przypomniał sobie, że biedny Ropuch był przez długi czas na więziennym wikcie i dlatego zasługuje na pobłażanie. Poszedł więc z nim do stołu i gościnnie zachęcał go, gdy Ropuch z całym zapałem starał się powetować sobie wszystkie straty.

Ledwie skończyli jeść i wrócili na swoje fotele, kiedy zastukano głośno do drzwi.

Ropuch przeraził się, lecz Szczur kiwnął tajemniczo głową w jego stronę, podszedł prosto do drzwi, otworzył je i wpuścił pana Borsuka.

Borsuk wyglądał jak stworzenie, które przez kilka nocy przebywało z dala od domu i wszelkich jego wygód. Trzewiki miał pokryte błotem, był zaniedbany, sierść miał zwichrzoną, ale co prawda Borsuk i za najlepszych czasów nie był nigdy elegantem. Podszedł uroczyście do Ropucha, uścisnął mu łapę i powiedział:

– Witaj mi, Ropuchu! A więc powróciłeś do domu! Ach, co ja mówię – do domu! Smutny to powrót, zaiste. Nieszczęsny Ropuchu!

Po czym odwrócił się plecami do Ropucha, przysunął sobie krzesło, zasiadł przy stole i nałożył sobie na talerz duży kawał pasztetu.

Ropuch był przerażony tak poważnym i uroczystym powitaniem, lecz Szczur mu szepnął.

– To nic, nie zwracaj uwagi i nie mów do niego teraz. Jest zawsze ponury i przybity, kiedy go głód przyciśnie. Za pół godziny będzie innym zwierzęciem.

Czekali więc w milczeniu, a po chwili rozległo się znów stukanie u wejścia, tym razem lżejsze.

Szczur, kiwnąwszy łebkiem w stronę Ropucha, podszedł do drzwi i wpuścił nieumytego, zaszarganego Kreta, w którego sierści tkwiły źdźbła słomy i siana.

– Otóż i stary Ropuch! Wiwat! – zawołał Kret z rozpromienionym pyszczkiem. – Jak to dobrze, że wróciłeś! – zaczął tańczyć wkoło Ropucha. – Ani nam się śniło, że tak prędko powrócisz. Musiałeś chyba uciec, ty mądry, zręczny, inteligentny Ropuchu!

Zaniepokojony Szczur szturchnął Kreta łokciem, ale było już za późno. Ropuch puszył się i nadymał.

– Mądry? Wcale nie – powiedział. – Zdaniem moich przyjaciół nie jestem wcale mądry. Ja tylko wyrwałem się z najgroźniejszego więzienia Anglii – ale to nic; opanowałem pociąg i tym pociągiem uciekłem – ale to nic, w przebraniu przebiegłem szmat, kraju wywodząc wszystkich w pole – ale to nic. O, nie! Nie jestem mądry. Jestem głupi osioł, tak, tak! Opowiem ci parę moich przygód, Krecie, to sam osądzisz.

– Doskonale – rzekł Kret, kierując się w stronę zastawionego stołu. – Możesz mówić, a ja będę jadł. Od śniadania nie miałem nic w ustach.

Usiadł i nałożył sobie porządną porcję zimnej sztufady i pikli. Ropuch rozparł się na sofie przed kominkiem, sięgnął ręką do kieszeni spodni i wyciągnął garść srebra.

– Spójrz! – zawołał, pokazując pieniądze – To chyba niezły zarobek za kilkuminutową pracę? A jak ty myślisz, Krecie? Jakim sposobem zdobyłem te pieniądze? Na handlu końmi! Na tym zarobiłem pieniądze.

– Mów dalej, Ropuchu – rzekł Kret z wielkim zainteresowaniem.

– Ropuchu, proszę cię, siedź cicho – powiedział Szczur. – A ty, Krecie, nie podjudzaj go, przecież wiesz, jaki on jest. Powiedz lepiej, co słychać i co mamy przedsięwziąć teraz, kiedy Ropuch wrócił nareszcie.

– Bardzo źle słychać, jak najgorzej – odpowiedział Kret markotnie. – A co przedsięwziąć? Niech mnie dunder świśnie, jeśli wiem. Obaj z Borsukiem obchodziliśmy wkoło Ropuszy Dwór we dnie i w nocy i wciąż jest to samo: wszędzie straże, wymierzone karabiny, kamienie, którymi w nas rzucają. Zawsze jakieś zwierzę czuwa, a kiedy nas zobaczy, śmieje się do rozpuku i to mnie najwięcej irytuje.

– Bardzo trudne położenie – powiedział Szczur po głębokim namyśle. – Ale wydaje mi się, że widzę teraz w głębi duszy, jak Ropuch powinien postąpić. Mówię wam, powinien koniecznie...

– Wcale nie powinien! – wykrzyknął Kret z pełną mordką. – Nic podobnego. Ty nie rozumiesz! Ropuch powinien...

– W każdym razie nie zrobię tego! – Wrzasnął podniecony Ropuch. – Nie zniosę, abyście mną komenderowali: dom, o którym rozprawiamy, należy do mnie, dokładnie wiem, jak mam postąpić, i ja wam powiem, co zrobię. Mam zamiar...

Mówili wszyscy razem podniesionym tonem i hałas był wprost ogłuszający. Wtem odezwał się cienki, oschły głos:

– Cicho tam! Milczeć!

I od razu wszyscy zamilkli.

Był to głos Borsuka, który zjadł swój pasztet, odwrócił się na krześle i patrzył na nich surowym wzrokiem. Kiedy zobaczył, że czekają najwidoczniej, aż do nich przemówi i gotowi są słuchać go uważnie, odwrócił się znowu do stołu i sięgnął po ser. A szacunek, jaki nakazywały rzetelne zalety tego wspaniałego zwierzęcia, był tak wielki, że ani jedno słowo nie zostało wypowiedziane, zanim nie skończył jeść i nie strzepnął okruszyn z kolan. Ropuch wiercił się zawzięcie, ale Szczur energicznie go uspokajał.

Gdy Borsuk skończył kolację, wstał z krzesła, stanął przed kominkiem i pogrążył się w myślach.

– Ropuchu! – przemówił po chwili surowo. – Ty nieznośne zwierzę, sprawiające wszystkim tylko kłopot. Czy ci nie wstyd? Jak ty myślisz, co powiedziałby twój ojciec, a mój stary przyjaciel, gdyby się tu dziś znajdował i znał wszystkie twoje sprawki?

Ropuch, który siedział na sofie z wyciągniętymi przed siebie łapami, padł na pyszczek, łkając ze skruchą.

– No, no – ciągnął Borsuk łagodniej. – Nie bierz sobie tego tak bardzo do serca. Wszystko jedno. Przestań płakać. Co było, to było. Musisz rozpocząć nowe życie. Ale Kret mówił prawdę. Łasice pilnują każdej pozycji, a to najlepsza straż na świecie. Nie ma co myśleć o ataku na dwór. Oni są zbyt silni.

– A więc wszystko przepadło! – zaszlochał Ropuch, roniąc łzy w poduszki sofy. – Zaciągnę się do wojska i już nigdy nie zobaczę mojego kochanego Ropuszego Dworu.

– Uspokój się, Ropuchu – rzekł Borsuk. – Są inne sposoby, poza atakiem, na odzyskanie straconych pozycji. Jeszcze nie wypowiedziałem mego ostatniego słowa. Objawię wam teraz wielką tajemnicę.

Ropuch podniósł się z wolna i otarł łzy. Tajemnice niezmiernie go pociągały, gdyż nie umiał ich dochować, a przenikliwy dreszczyk, jaki odczuwał przy zwierzaniu się innemu zwierzęciu z sekretu, którego święcie przyrzekł dotrzymać, sprawiał mu przewrotną przyjemność.

– Istnieje podziemne przejście – powiedział Borsuk z naciskiem – które ma początek niedaleko stąd, na brzegu rzeki, i prowadzi do samego Ropuszego Dworu.

– Et, bzdury, Borsuku – odezwał się Ropuch dość lekceważąco – słuchasz plotek, które rozgadują w okolicznych szynkach. Znam na wylot każdy cal Ropuszego Dworu. Zapewniam cię, że nie ma tam nic podobnego!

– Mój młody przyjacielu – powiedział Borsuk z wielką surowością – twój ojciec, bardzo godne zwierzę, znacznie bardziej godne od pewnego zwierzęcia dobrze mi znanego, był moim zażyłym przyjacielem i mówił mi wiele rzeczy, których ani by mu się nie śniło tobie powierzyć. Otóż odkrył on to przejście – oczywiście nie on je zbudował; było zrobione setki lat przedtem, nim twój ojciec tu zamieszkał. Odremontował je tylko i oczyścił, ponieważ uznał, że się może przydać w razie niebezpieczeństwa czy jakiejś biedy, i pokazał mi je. „Niech mój syn nie wie o tym – powiedział. – To dobry chłopiec, ale lekkomyślny i po prostu nie potrafi utrzymać języka za zębami. Jeśli kiedy znajdzie się w prawdziwej potrzebie, a to przejście mogłoby mu się przydać, wtedy powiesz mu o nim, ale nie wcześniej".

Zwierzęta patrzyły bacznie na Ropucha, ciekawe, jak on to przyjmie: Ropuch miał z początku ochotę dąsać się; ponieważ jednak w gruncie rzeczy był dobry, więc natychmiast się rozpogodził.

– No tak – rzekł. – Może być, że mam trochę za długi język. Jestem powszechnie lubiany, przyjaciele cisną się do mnie; przekomarzamy się, żartujemy, opowiadamy sobie dowcipne dykteryjki i język zaczyna mnie świerzbić. Posiadam dar konwersacji. Mówiono mi, że powinienem otworzyć salon; nie bardzo wiem, co to znaczy, ale mniejsza o to. Mów dalej, Borsuku, w jaki sposób może nam to twoje przejście dopomóc?

– W ostatnich czasach zdobyłem trochę wiadomości – podjął Borsuk. – Poleciłem Wydrze przebrać się za kominiarza i zapytać przy kuchennym wejściu, czy nie ma jakiej roboty. Jutro wieczorem ma się odbyć wielki bankiet. Obchodzą czyjeś urodziny – Wodza tchórzy, jeśli się nie mylę –

i wszystkie tchórze zgromadzą się w jadalnej komnacie, będą jadły i piły, śmiały się i dokazywały, niczego nie podejrzewając, bez karabinów, bez szabel, bez pałek, bez żadnej broni.

– Ale straże będą rozstawione jak zawsze – wtrącił Szczur.

– Na pewno – rzekł Borsuk – i na tym opieram mój plan. Tchórze ufają swoim doskonałym wartom. Tu właśnie zaczyna się rola tajnego przejścia. Ów bardzo pożyteczny tunel podchodzi aż do podręcznej spiżarni obok jadalni.

– A! – wykrzyknął Ropuch. – Skrzypiąca deska w spiżarce. Teraz rozumiem.

– Wkradniemy się cicho do spiżarni! – zawołał Kret.

– Uzbrojeni w pistolety, szable i pałki!... – wykrzyknął Szczur.

– I rzucimy się na nich – rzekł Borsuk.

– I przetrzepiemy ich, przetrzepiemy, przetrzepiemy! – wrzeszczał zachwycony Ropuch, biegając po pokoju i przeskakując przez krzesła.

– A więc – powiedział Borsuk, który wrócił do zwykłej powściągliwości – plan już gotowy i nie macie nad czym dyskutować i kłócić się. A ponieważ jest już bardzo późno, idźcie spać w tej chwili. Jutro rano przygotujemy wszystko, czego potrzeba.

Ropuch, ma się rozumieć, poszedł pokornie za innymi – wiedział, czym pachnie opór – choć czuł się stanowczo zanadto podniecony, aby móc zasnąć. Lecz przeżył długi dzień pełen przygód, a prześcieradła i kołdry były to przedmioty przyjazne i wygodne po prostej słomie, którą skąpo rozścielano na kamiennej podłodze w przewiewnej celi, toteż ledwie Ropuch przyłożył łebek do poduszki, już chrapał beztrosko.

Śniło mu się dużo: drogi, które uciekały przed nim, kiedy ich najwięcej potrzebował, kanały, które za nim goniły i chwytały go, barka wyładowana jego własną bielizną, barka wjeżdżająca do jadalni, w chwili gdy odbywał się proszony obiad; potem znalazł się sam w tajnym przejściu i szukał drogi, tymczasem przejście kręciło się i wierciło, i otrząsało, aż wreszcie usiadł na własnym ogonie, ale w końcu wrócił cało i z tryumfem do Ropuszego Dworu w otoczeniu wszystkich przyjaciół, którzy zapewniali go usilnie, że jest mądrym Ropuchem.

Nazajutrz spał długo, a gdy zszedł na dół, inne zwierzęta skończyły już śniadanie. Kret wyśliznął się samotnie, nie mówiąc nikomu, dokąd idzie. Borsuk siedział w fotelu i czytał gazetę, wcale nie biorąc do serca tego, co miało się stać wieczorem, Szczur zaś biegał po pokoju z łapkami pełnymi rozmaitej broni i rozkładał ją na podłodze na cztery stosy mrucząc pod nosem:

– Szabla – dla – Szczura, szabla – dla – Kreta, szabla – dla – Ropucha, szabla – dla – Borsuka.

I tak dalej. Mówił rytmicznie, a cztery stosy coraz się powiększały.

– To wszystko bardzo dobre, Szczurku – rzekł po chwili Borsuk spoglądając spod gazety na pracowite zwierzątko. – Nie ganię tego, co robisz. Ale skoro ominiemy łasice i ich wstrętne karabiny, mogę cię zapewnić, że nie będą nam potrzebne szable i pistolety. Kiedy dostaniemy się we czterech do jadalni, w pięć minut oczyścimy laskami pokój z tej całej hołoty. Byłbym to sam zrobił, tylko że nie chciałem pozbawić was tej zabawy.

– Strzeżonego Pan Bóg strzeże – odparł Szczur z rozwagą, wycierając rękawem lufę pistoletu i przyglądając się jej.

Ropuch po skończonym śniadaniu wziął w łapkę gruby kij i machał nim zawzięcie, okładając wyimaginowane zwierzęta

– Ja ich nauczę zdobywać mój dom! – krzyczał. – Dostaną porządną nauczkę. Ja im sprawię lanie!

Wkrótce Kret, bardzo zadowolony z siebie, wpadł do pokoju.

– Świetnie się zabawiłem – zaczął z punktu. – Nabrałem łasice.

– Mam nadzieję, że postępowałeś bardzo ostrożnie, Krecie – rzekł zaniepokojony Szczur.

– Spodziewam się! – odparł Kret z przekonaniem. – Wpadłem na pewien pomysł, gdy poszedłem do kuchni dopilnować, aby śniadanie Ropucha było gorące. Zobaczyłem starą suknię praczki, w której Ropuch przyszedł, rozwieszoną przed kominkiem na wieszaku od ręczników, ubrałem się w nią, w czepek i w chustkę i poszedłem śmiało do Ropuszego Dworu. Straże stały oczywiście na stanowiskach z karabinami i ze zwykłym: „Kto idzie?", i ze wszystkimi swoimi bzdurami. „Dzień dobry panom – odezwałem się z szacunkiem. – Może panowie mają bieliznę do prania?" Sztywno wyprężeni, popatrzyli na mnie wyniośle i powiedzieli: „Idźcie sobie, praczko. Nie dajemy nic do prania, kiedy jesteśmy na służbie". Ale ja na to: „Pewnie nigdy nic nie dajecie do prania". Cha! Cha! Cha! Czy nie zabawnie im odpowiedziałem?

– Płoche z ciebie stworzenie – odezwał się Ropuch protekcjonalnie, bo strasznie zazdrościł Kretowi jego pomysłu.

Kret zrobił akurat to, co Ropuch sam byłby chciał zrobić, gdyby mu podobna myśl zaświtała i gdyby nie był zaspał.

– Niektórzy z nich zarumienili się – mówił dalej Kret – a wachmistrz powiedział do mnie krótko: „A teraz jazda, moja kobieto, zabierajcie się stąd! Przez was marnujemy czas, będąc na służbie”. „Zabierać się? – odparłem. – Nie tylko ja będę się stąd zabierała, i to bardzo niedługo”.

– O Kreciku! Jak mogłeś!? – wykrzyknął przerażony Szczur. Borsuk odłożył gazetę.

– Spostrzegłem, że nadstawiają uszy i spoglądają po sobie – ciągnął Kret – a wachmistrz mówił do nich: „Nie zważajcie na nią, sama nie wie, co plecie”.

„Aha, nie wiem, co plotę – mówię. – Więc powiem wam coś. Moja córka pierze u pana Borsuka. Możecie z tego zmiarkować, czy ja nie wiem, co plotę. Zresztą sami przekonacie się wkrótce. Sto krwiożerczych borsuków uzbrojonych w karabiny napadnie tej nocy na Ropuszy Dwór od strony stajen. Sześć łodzi naładowanych szczurami uzbrojonymi w pistolety i kordelasy wyląduje w ogrodzie, a doborowy oddział ropuchów zwany »Śmierć lub zwycięstwo« albo »Ropuchy-Zabijaki« zdobędzie szturmem sad i zrówna wszystko z ziemią, łaknąc zemsty. Niewiele będziecie mieli bielizny do prania, jak się z wami porachują, chyba że zwiejecie stąd, póki czas”. Potem uciekłem i schowałem się; po chwili podkradłem się rowem i zajrzałem przez płot. Wszyscy biegali w rozmaite strony, przestraszeni i podnieceni, przewracając się wzajemnie; wszyscy wydawali rozkazy, których nikt nie słuchał. Wachmistrz wysyłał oddziałki do dalszych części posiadłości, a potem kazał gonić za nimi,

aby je zawrócić. Słyszałem, jak łasice mówiły do siebie: „To całkiem do Ttchórzów podobne. Mają zasiąść wygodnie w jadalni i ucztować, i wygłaszać mowy, i śpiewać, i bawić się, a my musimy trzymać wartę na zimnie, w ciemności, i ostatecznie krwiożercze Borsuki rozerwą nas na kawałki".

– Ach ty głupi ośle! – wykrzyknął Ropuch. – Wszystko popsułeś!

– Krecie – rzekł po swojemu Borsuk głosem zimnym i spokojnym – widzę, że masz więcej rozumu w małym palcu niż niektóre zwierzęta w całym swym tłustym cielsku. Doskonale się spisałeś. Zaczynam pokładać w tobie wielkie nadzieje, zacny Krecie, mądry Krecie!

Ropuch po prostu wściekł się z zazdrości, tym bardziej że nie mógł w żaden sposób zmiarkować, co Kret zrobił mądrego; lecz na jego szczęście, nim zdołał okazać swój zły humor lub narazić się na sarkazmy Borsuka, zadzwoniono na drugie śniadanie.

Był to posiłek skromny, lecz solidny, składał się z boczku, fasoli i budyniu, po skończonym jedzeniu Borsuk usadowił się na fotelu i powiedział:

– Mamy już pracę obmyśloną na dzisiejszą noc, a pewno zrobi się bardzo późno, nim ją wykonamy; więc zdrzemnę się trochę.

Przysłonił pyszczek chustką i niebawem zachrapał. Niespokojny i pracowity Szczur wrócił natychmiast do przygotowań i zaczął biegać od jednego stosu do drugiego, mrucząc:

– Pasek – dla – Szczura, pasek – dla – Kreta, pasek – dla – Ropucha, pasek – dla – Borsuka.

I tak dalej przy każdej nowej sztuce ekwipunku, a wydostawał coraz to inne rzeczy.

Kret wziął Ropucha pod łapę, wyprowadził na świeże powietrze, usadowił go na trzcinowym fotelu i kazał mu opowiadać wszystkie jego przygody od początku do końca. Ropuch nie dał się prosić. Kret słuchał uważnie, więc Ropuch puścił wodze fantazji, korzystając z tego, że nikt nieprzychylną krytyką nie hamował jego swady. Wiele z tego, co opowiadał, należało niewątpliwie do kategorii wypadków, jakie mogłyby się zdarzyć, gdyby odpowiedni pomysł przyszedł nam w porę do głowy zamiast o dziesięć minut za późno. Przygody tego rodzaju bywają zawsze najciekawsze i najbardziej podniecające.

Powrót Ulissesa

Gdy się ściemniło, Szczur wezwał ich z tajemniczą miną do salonu, postawił każdego przy stosie, jaki mu był przeznaczony, i przystąpił do zbrojenia zwierząt na planowaną wyprawę. Zabierał się do tego z wielką powagą i wszystko wykonywał bardzo dokładnie, co zajęło sporo czasu. Najpierw każde zwierzątko otrzymało pas, potem za pas zatykało się szablę, a z drugiego boku – dla równowagi – kordelas, później przychodziła kolej na parę pistoletów, pałkę policjanta, kilka par kajdanów, bandaże i plastry, manierkę i puszkę na kanapki. Borsuk śmiał się wesoło, mówiąc:

– Doskonale, mój Szczurku! Ciebie to bawi, a mnie nic nie szkodzi. Wszystko, co mam do zrobienia, zrobię tym oto kijem.

Ale Szczur powiedział tylko:

– Borsuku, ja cię proszę. Nie chciałbym, abyś mi potem wyrzucał, żem o czymkolwiek zapomniał.

Kiedy już wszystko było zupełnie gotowe, Borsuk wziął w jedną łapę ślepą latarkę, a w drugą swój wielki kij i oświadczył:

– A więc chodźcie za mną. Pierwszy Kret, bo jestem z niego bardzo zadowolony; potem Szczur, a na ostatku Ropuch. Słuchaj no ty, Ropuchu, nie gadaj tak dużo jak zwykle, bo cię odeślę z powrotem jak amen w pacierzu.

Ropuch bał się okropnie, że go zostawią, więc bez szemrania przyjął wyznaczone mu poślednie stanowisko i zwierzęta wyruszyły w drogę. Borsuk prowadził ich kawałek brzegiem rzeki i nagle skoczył ponad jego krawędzią do otworu jamy położonej nieco wyżej poziomu wody. Kret i Szczur w milczeniu poszli za jego przykładem, trafiając zgrabnie do nory. Ale gdy przyszła kolej na Ropucha, oczywiście pośliznął się i wpadł do wody z pluskiem i okrzykiem przerażenia. Przyjaciele wyciągnęli go, roztarli, szybko wycisnęli wodę i postawili na łapy, pocieszając; ale Borsuk rozgniewał się na dobre i zapowiedział Ropuchowi, że jeśli jeszcze raz zrobi głupstwo, to go na pewno nie weźmie.

W końcu znaleźli się w tajnym przejściu i karna ekspedycja naprawdę się rozpoczęła.

W tunelu było zimno i ciemno, i wilgotno, i nisko, i ciasno, i biedny Ropuch dostał dreszczy, po części ze strachu przed tym, co go czekało, a po części dlatego, że był przemoknięty. Światło latarki widział z daleka, więc mimo woli

zostawał w tyle, idąc po omacku. Wtem posłyszał ostrzegawcze nawoływanie Szczura:

– Chodźże, Ropuchu!

Ropucha ogarnął strach, że go zostawią samego w tej ciemności, i podbiegł z takim pośpiechem, że wywrócił Szczura, który wpadł na Kreta, a ten wleciał na Borsuka; zapanowało chwilowo straszne zamieszanie. Borsuk myślał, że zostali napadnięci z tyłu, a ponieważ nie było miejsca na użycie kija czy też kordelasa, wyciągnął pistolet i o mało co nie wpakował kuli Ropuchowi. Kiedy dowiedział się, co właściwie zaszło, rozgniewał się mocno i oświadczył:

– Teraz to już naprawdę zostawimy tego nieznośnego Ropucha.

Ale Ropuch zaczął popłakiwać, a Kret i Szczur wzięli na siebie odpowiedzialność za jego sprawowanie, więc Borsuk udobruchał się i procesja pomaszerowała dalej; tylko tym razem Szczur zamykał pochód, trzymając Ropucha mocno za ramię.

Szli tak po omacku, dzierżąc w łapkach pistolety i strzygąc uszami, kiedy Borsuk rzekł wreszcie:

– Powinniśmy być już teraz prawie pod jadalnią.

I posłyszeli nagle bezładne odgłosy, które musiały rozlegać się tuż nad ich łebkami; jakby krzyki, wiwaty, tupanie i uderzanie w stół. Ropucha ogarnął znów nerwowy lęk, lecz Borsuk odezwał się ze spokojem:

– A to używają te tchórzyska!

Tunel zaczął wznosić się ku górze; zwierzęta uszły jeszcze kawałek drogi w ciemności, kiedy hałas wznowił się, tym razem zupełnie wyraźnie, tuż nad ich łebkami. Posłyszeli: – Wi-waat! Wi-waat-waat! – i tupanie małych łapek, i brzęk kieliszków, gdy małe piąstki uderzały w stół.

– Jak oni się świetnie bawią! – powiedział Borsuk. – No, chodźmy!

Szli szybko tunelem, aż przejście skończyło się i stanęli przed drzwiami prowadzącymi do spiżarni.

W jadalni panował tak straszliwy hałas, że było mało prawdopodobne, aby ich posłyszano. Borsuk zakomenderował.

– Dalej, razem!

Wszyscy czterej podparli ramionami klapę i podnieśli ją. Wywindowali się na górę, pomagając sobie wzajemnie, i znaleźli się w spiżarni, przedzieleni tylko drzwiami od jadalni, gdzie ich wrogowie pili i hulali, nieświadomi niebezpieczeństwa.

Gdy zwierzęta wyłoniły się z tunelu, hałas był wprost ogłuszający. Lecz kiedy stopniowo uciszyły się wiwaty i bicia pięściami w stół, przyjaciele rozróżnili głos, który mówił:

– Nie będę już dłużej zaprzątał uwagi panów (głośne oklaski), ale nim usiądę (wiwaty), chciałbym powiedzieć słówko o naszym zacnym gospodarzu, panu Ropuchu. Znamy wszyscy pana Ropucha! (śmiechy). Dobrego Ropucha, skromnego Ropucha, uczciwego Ropucha! (wesołe okrzyki).

– Niech no go dostanę w swoje łapy – mruknął Ropuch, zgrzytając zębami.

– Trochę cierpliwości – rzekł Borsuk, powstrzymując z trudem Ropucha. – Szykować się!

– Zaśpiewam wam piosenkę o Ropuchu – ciągnął dalej głos – piosenkę własnej kompozycji (długotrwałe oklaski).

Wódz tchórzy – bo to był on – zaczął wysokim, piskliwym dyszkantem:

Ropuch poszedł na hulankę,
Mknął wesoło drogą...

Borsuk wyprostował się, ujął mocno kij w obie łapy, obejrzał się na towarzyszy i krzyknął:

– Już czas! Za mną!

I otworzył z trzaskiem drzwi.

Co za piski, wrzaski i krzyki wypełniły powietrze!

Nic dziwnego, że przerażone tchórze dawały nurka pod stoły i wyskakiwały jak szalone przez okna. Nic dziwnego, że kuny pędziły gwałtownie do kominków i więzły beznadziejnie w przewodzie komina. Nic dziwnego, że powywracano stoły i krzesła, a porcelana i kieliszki zasłały z brzękiem podłogę podczas straszliwej paniki, jaka powstała, gdy czterej bohaterowie wkroczyli z gniewem do pokoju. Potężny Borsuk, o najeżonych wąsach, wielką pałką przecinał ze świstem powietrze; Kret, czarny i ponury, machał kijem i powtarzał swój okrzyk wojenny: „Do Kreta! Do Kreta!" Szczur gotów był ważyć się na wszystko, mając za pasem zatkniętą broń wszelkich epok i rodzajów, Ropuch zaś, zapamiętały w swe zranionej dumie i niesłychanie podniecony, tak się nadął, że wyrósł do dwukrotnej swej objętości; skakał przy tym w górę jak szalony, wydając ropusze pohukiwania, które mroziły krew w żyłach.

–„Ropuch poszedł na hulankę!" – wrzeszczał. – Ja wam sprawię hulankę! – i natarł wprost na wodza tchórzy.

Przyjaciół było tylko czterech, lecz przerażonym tchórzom wydało się, że w komnacie pełno jest potwornych

zwierząt, szarych, czarnych, brązowych i żółtych, które krzyczą i wywijają olbrzymimi pałkami. Tchórze z wrzaskiem przerażenia i rozpaczy rzuciły się do ucieczki; umykały na wszystkie strony, przez okna i kominy, byle tylko nie dostać się w zasięg straszliwych pałek.

Bitwa skończyła się prędko. Czterej przyjaciele przemierzali tam i z powrotem całą długość jadalni łupiąc kijem każdy łebek, który się pokazał, i w pięć minut oczyścili salę. Przez wytłuczone okna dochodziły do ich uszu słabe okrzyki przerażonych tchórzy umykających przez trawnik; na podłodze leżało około tuzina powalonych wrogów, którym Kret nakładał kajdanki, a Borsuk, oparty na lasce, odpoczywał po trudach, ocierając pot z czoła.

– Krecie – powiedział. – Ty najdzielniejszy z zuchów! Przeleć no się i zobacz, co tam robią te twoje łasice, stojące na warcie. Coś mi się zdaje, że dzięki tobie nie będziemy mieli z nimi wiele kłopotu!

Kret szybko wyskoczył oknem, a Borsuk polecił Ropuchowi i Szczurowi, aby podnieśli jeden ze stołów, zebrali z podłogi noże i widelce, wyszukali talerze i szklanki spośród szczątków na podłodze i poszperali, czy nie uda im się znaleźć czegoś, co by się nadawało na kolację.

– Chce mi się jakiegoś żarcia – powiedział w zwykły sobie, dość ordynarny sposób. – Sięgnij do swoich zapasów, Ropuchu, i rozpogódź się. Zdobyliśmy z powrotem twój dom, a ty nas nie częstujesz nawet kanapką.

Ropuch czuł się nieco dotknięty, że Borsuk nie odzywa się do niego tak mile jak do Kreta, nie chwali jego odwagi i bitności. Ropuch był niezwykle zadowolony z siebie i ze sposobu, w jaki natarł na wodza tchórzy i przerzucił go przez stół jednym uderzeniem kija. Jednak zakrzątnął się razem ze Szczurem i niebawem znaleźli salaterkę galaretki z moreli, kurę na zimno, ozór ledwie napoczęty, trochę zupy „nic" i sporo sałatki z homara, a w spiżarce odkryli koszyk pełen bułek i moc sera, masła i selerów.

Zamierzali właśnie zasiąść do stołu, kiedy Kret wdrapał się ze śmiechem przez okno, niosąc całe naręcze karabinów.

– Wszystko w porządku – zameldował. – Jeżeli mogłem zmiarkować, łasice, już przedtem niespokojne i zdenerwowane, posłyszały krzyki, piski i gwałt w jadalnej komnacie, więc niektóre porzuciły broń i umknęły. Inne trzymały się jeszcze, ale gdy tchórze wpadły na nie podczas ucieczki, łasice myślały, że to zdrada; zderzały się z tchórzami, a tchórze walczyły, aby móc uciekać dalej; mocowały się, biły i przewracały jedno przez drugie, aż większość z nich wpadła do rzeki. Tak czy inaczej, nie ma ich, a ja zabrałem karabiny. Wszystko w porządku.

– Dobre z ciebie zwierzę, położyłeś wielkie zasługi! – rzekł Borsuk z pyszczkiem pełnym kury w galarecie. – A teraz, Krecie, zrób jeszcze tylko jedno, nim zasiądziesz przy nas do kolacji. Nie trudziłbym cię tym, gdyby nie przeświadczenie, iż mogę na tobie polegać, jeśli chodzi o dopilnowanie czegoś – chciałbym móc powiedzieć to samo o wszystkich moich znajomych. Posłałbym Szczura, ale to poeta. Zaprowadź, proszę, na górę tych łobuzów, co leżą na podłodze, niech wyczyszczą, uporządkują i urządzą prawdziwie wygodnie kilka sypialnych pokojów. Dopilnuj, aby wymietli pod łóżkami, aby oblekli czystą pościel i odwinęli porządnie róg każdej kołdry, wiesz przecie, jak to powinno wyglądać; w każdym pokoju każ postawić dzbanek z gorącą wodą, dać czyste ręczniki i po kawałku mydła. W końcu, jeśli ci to zrobi przyjemność, możesz sprawić lanie tchórzom i wygnać ich tylnym wyjściem; nie przypuszczam, abyśmy ich prędko zobaczyli. A potem przyjdziesz tu i weźmiesz się do ozora. Rad jestem z ciebie, Krecie.

Poczciwy Kret wziął kij, ustawił więźniów szeregiem, zakomenderował: „Naprzód marsz!" i zaprowadził swój oddziałek na górę. Po pewnym czasie zjawił się uśmiechnięty i oświadczył, że wszystkie pokoje na górze są gotowe i czyste jak szkło.

– Nie potrzebowałem nawet sprawiać tchórzom lania – dodał – pomyślałem sobie, że dostały dostateczną ilość batów, jak na jedną noc, a gdy przedstawiłem im mój punkt widzenia, zgodziły się ze mną; oświadczyły, że nie chciałyby sprawić mi kłopotu. Okazały wiele skruchy i żalu za swoje czyny, twierdząc, że wszystkiemu winien ich wódz i łasice; wystarczy tylko szepnąć im słówko, a chętnie zrobią dla nas wszystko, co zechcemy, jako zadośćuczynienie. Dałem im po bułce, wypuściłem kuchennym wyjściem i umknęły co tchu.

Kret przysunął sobie krzesło do stołu i zabrał się do ozora; a Ropuch jak prawdziwy dżentelmen odłożył na bok wszelką zazdrość i odezwał się serdecznie:

– Dziękuję ci bardzo, kochany Krecie, za wszystkie trudy i kłopoty dzisiejszego wieczora, a w szczególności za spryt, jakiego dałeś dowód dziś rano.

Borsuk był bardzo zadowolony z tej przemowy.

– Te słowa są godne mego zacnego Ropucha.

Skończyli kolację w wesołym nastroju i radości, a wkrótce poszli na spoczynek, położyli się w czystej pościeli, bezpieczni w rodzinnym gnieździe Ropucha, które odzyskali dzięki bezprzykładnemu męstwu, znakomitej strategii i umiejętnemu zastosowaniu kijów.

Następnego ranka Ropuch zaspał swoim zwyczajem i zszedł okropnie późno na śniadanie; na stole zastał pewną ilość skorupek jaj, resztki grzanek, zimnych i twardych jak podeszwy, maszynkę do kawy w trzech czwartych próżną i niewiele więcej. Nie wpłynęło to dodatnio na jego humor, zważywszy, iż ten dom był mimo wszystko jego własnym domem. Przez oszklone drzwi jadalni widział Kreta i Szczura siedzących na trawniku w trzcinowych fotelach; opowiadali sobie najwidoczniej dykteryjki, gdyż ryczeli ze śmiechu i wymachiwali krótkimi łapkami. Borsuk, który był zagłębiony w porannym dzienniku, ledwie podniósł oczy i skinął łebkiem, gdy Ropuch wszedł. Lecz Ropuch znał go dobrze, zasiadł więc do stołu i starał się według możności jak najlepiej zużytkować resztki śniadania; powiedział sobie tylko, że wcześniej czy później porachuje się z przyjaciółmi. Gdy prawie już skończył jeść, Borsuk oświadczył dość oschle:

– Bardzo mi przykro, Ropuchu, ale obawiam się, że masz przed sobą ciężką pracę na dzisiejszy ranek. Bo widzisz, trzeba koniecznie wyprawić zaraz bankiet dla uczczenia zwycięstwa. Wszyscy się tego po tobie spodziewają – właściwie taki jest zwyczaj.

– Doskonale! – rzeki Ropuch z gotowością. – Zrobię wszystko, co może komukolwiek sprawić przyjemność. Chociaż niech mnie licho porwie, jeśli domyślam się, dlaczego chcesz rano wyprawić bankiet. Ale wiesz, że ja nie żyję dla swojej przyjemności, lecz tylko odgaduję życzenia moich przyjaciół i staram się je zaspokoić, mój kochany stary Borsuku.

– Nie udawaj głupszego, niż jesteś – odparł zirytowany Borsuk – nie śmiej się i nie pluj w kawę, bo to oznaka złego wychowania. Ja chcę oczywiście powiedzieć, że bankiet odbędzie się wieczorem, ale zaproszenia muszą być napisane i wysłane natychmiast i ty musisz je napisać. Siadaj więc przy tym stole – leżą tam stosy papieru ze złoconym brzegiem i niebieskim napisem: Ropuszy Dwór – i wystosuj zaproszenia do wszystkich naszych przyjaciół. Jeśli się do tego porządnie przyłożysz, będziemy je mogli rozesłać przed drugim śniadaniem. Ja ci także pomogę i wezmę na siebie część trudów: wydam zarządzenia co do bankietu.

– Co? – zawołał Ropuch z przerażeniem – Ja mam siedzieć w pokoju i pisać moc nudnych listów w taki rozkoszny poranek, kiedy chciałbym obejść moje dobra i zaprowadzić porządek we wszystkim i ze wszystkim, i puszyć się, i bawić?! Ani myślę! Niech mnie... To jest... Poczekaj... Ale oczywiście, drogi Borsuku! Czymże jest moja przyjemność czy wygoda w porównaniu z przyjemnością czy wygodą innych? Życzysz sobie tego, niech i tak będzie. Idź, Borsuku, wydaj jakie chcesz rozporządzenia co do bankietu, a potem przyłącz się do naszych młodych przyjaciół, dziel ich niewinną wesołość, niepomny moich trudów i trosk. Poświęcę ten piękny ranek na ołtarzu obowiązku i przyjaźni.

Borsuk spojrzał na Ropucha z wielkim niedowierzeniem, lecz widząc jego zachowanie otwarte i pełne szczerości, trudno było przypisywać tę zmianę jakiejś niskiej pobudce. Wyszedł więc z pokoju, kierując się do kuchni, a gdy tylko drzwi zamknęły się za nim, Ropuch pośpieszył do biurka. Podczas rozmowy z Borsukiem przyszła mu do głowy doskonała myśl. Napisze zaproszenia i nie zapomni zamieścić w nich wzmianki o wybitnej roli, jaką odegrał podczas bitwy, i o tym, jak powalił wodza tchórzy, napomknie lekko o swoich przygodach, o całym szeregu tryumfów, o jakich zamierza mówić, a na osobnej kartce wypisze jakby rodzaj programu wieczoru – ułożył sobie w głowie coś w tym guście:

MOWA .... wypowie ROPUCH
(Ropuch w ciągu wieczoru wypowie jeszcze inne mowy)

ODCZYT .... wygłosi ROPUCH
Konspekt: – Nasz system więzienny –
Wodne szlaki Anglii – Handel końmi i sposób, w jaki należy prowadzić ów handel – Własność, jej prawa i obowiązki – Powrót do ziemi – Typ angielskiego ziemianina

PIEŚŃ ....(własnej kompozycji) odśpiewa ROPUCH

INNE KOMPOZYCJE ROPUCHA
(odtworzy autor w ciągu wieczoru)

Ten pomysł bardzo się Ropuchowi spodobał, pracował więc nader pilnie i skończył wszystkie listy do południa. O tej właśnie godzinie dano mu znać, że mały tchórzyk, dość nędznie wyglądający, stoi przed drzwiami i pyta nieśmiało, czy nie mógłby czymś się panom przysłużyć. Ropuch wyszedł z dumną miną i poznał jednego z wczorajszych więźniów; tchórz okazywał głęboki szacunek i chęć przypodobania się. Ropuch pogłaskał go po łebku, wsunął mu w łapę stos zaproszeń, kazał szybko biec i roznieść je jak najprędzej; jeśli chce, niech wróci wieczorem, znajdzie się, być może, jaki szyling dla niego, ale niech na to nie liczy!

Biedny tchórz zdawał się doprawdy wdzięczny i pełen gorliwości, wyruszył spełnić polecenie.

Gdy zwierzęta wróciły na drugie śniadanie, rześkie i rozdokazywane po ranku spędzonym na rzece, Kret, którego sumienie trochę gryzło, spojrzał z niepewnością na Ropucha, spodziewając się zastać go nadąsanym lub przygnębionym. Tymczasem Ropuch był tak nadęty i butny, że Kret zaczął coś podejrzewać, Borsuk zaś i Szczur zamienili znaczące spojrzenia.

Po skończonym posiłku Ropuch zagłębił łapy w kieszeniach od spodni i zauważył od niechcenia:

– Pamiętajcie o sobie, moi drodzy. Każcie sobie dać, czego wam tylko potrzeba.

I z dumą odszedł w stronę ogrodu, aby ułożyć swoje mowy, lecz Szczur chwycił go za ramię.

Ropuch domyślał się, czego Szczur od niego chce, i dokładał starań, aby się wyrwać, ale kiedy Borsuk ujął go ze stanowczością za drugie ramię, zobaczył, że sprawa przegrana. Zwierzęta wzięły Ropucha między siebie i zaprowadziły do małego gabinetu, zamknęły za sobą drzwi, posadziły na krześle, potem stanęły przed nim, a Ropuch w milczeniu patrzył na nie nieufnie i z gniewem.

– Posłuchaj no, Ropuchu – powiedział Szczur – chodzi nam o ten bankiet i bardzo mi przykro, że jestem zmuszony przemawiać do ciebie w ten sposób. Ale chcemy, abyś zrozumiał raz na zawsze, że nie będzie żadnych mów ani śpiewów. Staraj się sobie uświadomić, iż w tym wypadku nie dyskutujemy z tobą, tylko po prostu wydajemy ci polecenie.

Ropuch zobaczył, że wpadł w pułapkę. Zrozumieli go, przejrzeli i przewidzieli zawczasu jego zamiary. Miły sen rozwiał się!

– Może mógłbym zaśpiewać choć jedną króciutką piosenkę? – prosił żałośnie.

– Nie, ani jednej piosenki – odparł Szczur ze stanowczością, choć serce krajało mu się, gdy zauważył drżenie warg biednego, zawiedzionego Ropucha – To na nic, Ropuszku! Wiesz, że twoje pieśni pełne są zarozumiałości, pychy i przechwałek, a twoje mowy to samochwalstwo i... i... i gruba przesada, i... i...

– I nabieranie – wtrącił Borsuk bez ogródek.

– To dla twego dobra, Ropuszku – ciągnął Szczur dalej. – Wiesz, że musisz wcześniej czy później zacząć nową kartę życia; teraz nastręcza się po temu doskonała sposobność, będzie to pewnego rodzaju punkt zwrotny w twojej karierze. Wierz mi, że mówienie ci tego wszystkiego sprawia mi większą przykrość niż tobie słuchanie.

Ropuch myślał długo. Wreszcie podniósł łebek, a na jego twarzy odmalowało się silne wzruszenie.

– Zwyciężyliście, przyjaciele – odezwał się drżącym głosem. – To, o co prosiłem, było drobnostką – pragnąłem za waszym pozwoleniem móc wypowiedzieć się w ciągu jednego, ostatniego wieczoru. Chciałem wywnętrzyć się i posłyszeć grzmot oklasków, które, jak mi się zdaje, wydobywają ze mnie najlepsze moje cechy. Jednakże wiem, iż to wy macie słuszność, a nie ja. Odtąd stanę się zupełnie innym Ropuchem. Już nigdy, drodzy moi, nie będziecie potrzebowali za mnie się rumienić. Ale, o Boże! Boże, jakie to życie jest ciężkie! – i Ropuch wyszedł chwiejnym krokiem, przyłożywszy chustkę do pyszczka.

– Borsuku – powiedział Szczur – mam wrażenie, że postąpiłem zbyt okrutnie. Ciekawe, jak ty się czujesz?

– Cóż robić! – westchnął chmurny Borsuk. – Trzeba to było jednak przeprowadzić. Przecież on musi tu mieszkać, zasłużyć sobie na powszechny szacunek i nie wolno mu trwonić mienia. Czy chciałbyś, aby stał się ogólnym pośmiewiskiem, celem kpin i drwin tchórzów i łasic?

– Oczywiście, że nie chciałbym tego – odparł Szczur. – Ale kiedy mowa o tchórzach, co za szczęście, że spotkaliśmy małego tchórzyka w chwili, gdy zaczynał roznosić zaproszenia Ropucha. Powziąłem już pewne podejrzenia z tego, coś opowiedział, i przeczytałem parę zaproszeń; były po prostu haniebne. Skonfiskowałem cały stos, a teraz poczciwy Kret siedzi w niebieskim saloniku i wypełnia zwykłe, proste karty zaproszeniowe.

Nadeszła wreszcie godzina rozpoczęcia bankietu, a Ropuch, który opuściwszy przyjaciół, schronił się do swej sypialni, siedział tam jeszcze smętny i zamyślony. Czoło oparł na łapie i rozważał coś długo i głęboko. Stopniowo zaczął się rozpogadzać, a na jego pyszczku wykwitł z wolna uśmiech i trwał chwilę. Potem Ropuch zachichotał nieśmiało. Wreszcie wstał; zamknął drzwi, spuścił zasłony w oknach, zgromadził krzesła z całego pokoju, ustawił je w półkole i stanął przed nimi, nadymając się tak, że objętość jego zwiększała się w oczach. Następnie skłonił się, odkaszlnął dwukrotnie i zaczął śpiewać donośnym głosem przed zachwyconym audytorium, które widział jasno w wyobraźni.

OSTATNIA PIOSENKA ROPUCHA

Ropuch powrócił do domu!
W holu ktoś zawył, w salonie krzyknął: „O Boże!"
Płacze i krzyki rozległy się w stajni, oborze...
Gdy Ropuch wrócił do domu.

Ropuch powrócił do domu!
Tu brzęk tłuczonej szyby, drzwi się wyłamały,
Tam pisk łasic, które ze strachu omdlały,
Gdy Ropuch wrócił do domu.

Psst – wystrzela raca...
Huk ciężkich dział i ryk wszystkich aut,
Trąbią trębacze, salutują żołnierze na gwałt:
To bohater wraca!

Hej, kto żyw, niechaj słucha!
Wołajmy co sił i jeszcze głośniej
I szerzmy sławę jego donośnie –
Dziś wielki dzień Ropucha!

Przekład Zofii Baumowej

Śpiewał bardzo głośno, z wielkim namaszczeniem i uczuciem, a gdy skończył piosenkę, zaczął ją znów od początku.

Potem z jego piersi wyrwało się westchnienie; długie, długie, długie, długie westchnienie...

Następnie zanurzył szczotkę w dzbanku z wodą, zrobił przedział przez środek łebka, wygładził równo obie strony pyszczka i otworzywszy drzwi, zszedł spokojnie ze schodów, aby powitać swych gości, którzy, jak wiedział, zgromadzili się już w salonie.

Gdy Ropuch wszedł, wszystkie zwierzęta wiwatowały na jego cześć i zebrały się wkoło niego, aby mu powinszować; mówiły o jego odwadze, mądrości i umiejętnych sposobach prowadzenia walki, on zaś uśmiechał się blado i szeptał:

– Ale skąd!

A czasem dla odmiany:

– Ależ przeciwnie.

Wydra, która stała przed kominkiem w kole przyjaciół i opisywała dokładnie, jak to ona zabrałaby się do rzeczy, gdyby się była tu znalazła, podeszła z okrzykiem do Ropucha i zarzuciła mu łapy na szyję, usiłując oprowadzić go wkoło pokoju, lecz Ropuch osadził ją na miejscu z pewnym lekceważeniem i oswobodził się z jej uścisku, mówiąc łagodnie:

– Borsuk był mózgiem, który nami kierował; Kret i Szczur walczyli w pierwszym rzędzie: ja nie zrobiłem nic lub prawie nic, tyle co zwykły szeregowiec.

Zwierzęta były zdumione i zaskoczone tym niezwykłym zachowaniem się Ropucha; a Ropuch poczuł, że wzbudza ogólne zainteresowanie, gdy przechodzi od jednego gościa do drugiego i odpowiada skromnie na zapytania.

Borsuk zarządził wszystko jak najlepiej i bankiet udał się doskonale. Było dużo gadania, śmiechów i żartów, ale Ropuch – który ma się rozumieć wiódł prym – miał przez cały czas oczy spuszczone i szeptał przyjemne komplementy zwierzętom siedzącym obok niego. W przerwach spoglądał na Borsuka i Szczura, a kiedy tylko na nich popatrzył, widział, że wlepiają w siebie oczy, otwierając pyszczki ze zdumienia; sprawiało mu to dużą przyjemność.

Niektóre z młodszych zwierząt weselszego usposobienia zaczęły szeptać do siebie późno wieczorem, że jakoś nie jest tak zabawnie, jak bywało za dawnych dobrych czasów – dały się słyszeć tu i ówdzie stukania w stół i okrzyki:

– Ropuch niech mówi! Chcemy mowy Ropucha! Piosenek! Piosenek pana Ropucha!

Ale Ropuch kręcił przecząco łebkiem, podnosił łapkę protestując, łagodnie, zapraszał gości do jedzenia. Gawędził na różne tematy i gorliwie wypytywał o ich dzieci, czym zdołał wzbudzić w swych gościach przeświadczenie, że bankiet odbywa się ściśle według przyjętego zwyczaju.

Był to zaiste Ropuch zupełnie odmieniony.

* * *

Czterej przyjaciele po owym szczytowym punkcie swej kariery życiowej prowadzili w dalszym ciągu z zupełnym zadowoleniem radosny żywot, tak brutalnie przerwany wojną domową; żadne powstanie ani najazdy nie zakłócały już ich spokoju. Ropuch, po naradzie z przyjaciółmi, wybrał piękny złoty łańcuch i medalion wysadzany perłami i wysłał go córce dozorcy więziennego wraz z listem, który zyskał poklask nawet u Borsuka, gdyż zawierał słowa pełne uznania, wdzięczności i skromności. Z kolei maszynista otrzymał należne podziękowanie i wynagrodzenie za przebyte kłopoty. Pod surowym naciskiem Borsuka odszukano także z pewnym trudem właścicielkę barki i zwrócono jej dyskretnie sumę równą cenie konia, mimo że Ropuch gwałtownie się temu przeciwstawiał. Uważał się za narzędzie losu zesłane, by karać tłuste baby o piegowatych ramionach, baby, które nie potrafią poznać prawdziwych dżentelmenów, kiedy się z nimi zetkną. Wypłacenie zakwestionowanej sumy nie było prawdę powiedziawszy zbyt uciążliwe, ponieważ miejscowi taksatorzy uznali, iż wycena Cygana była mniej więcej sprawiedliwa.

Czasami, podczas długich letnich wieczorów, przyjaciele udawali się razem do puszczy, która nie przedstawiała już dla nich niebezpieczeństwa. Przyjemnie było patrzeć, z jakim szacunkiem witali ich mieszkańcy puszczy, jak matki-tchórze wynosiły swe dzieci do wylotów nor i mówiły:

– Patrz, dzidziu, tam idzie wielki pan Ropuch, a obok niego kroczy dzielny Szczur Wodny, straszliwy zabijaka.

A tam, widzisz, to słynny pan Kret, o którym twój ojciec często opowiada.

A jeśli dzieci były krnąbrne i nie chciały słuchać, uspokajano je groźbą, że o ile się nie ustatkują i nie przestaną martwić starszych, przyjdzie przerażający, stary Borsuk i złapie je. Był to podły paszkwil na Borsuka, który lubił dzieci, choć niewiele dbał o towarzystwo; lecz skutek tych słów nigdy nie zawodził.

Spis treści

Wyspa skarbów to wspaniała powieść przygodowa, od której trudno się oderwać. Legendarny skarb piratów, tajemnicza mapa, postrach mórz – nieżyjący kapitan Flint, jego upiorni żyjący towarzysze, a wśród nich przerażający John Silver i... chłopiec-bohater, Jim Hawkins. Zaskakujące zwroty akcji, dramatyczne decyzje, niezwykłe zbiegi okoliczności w mistrzowskim wydaniu Roberta L. Stevensona, który pisząc swój bestseller sam znakomicie się bawił.

W serii
Klasyka z feniksem
Wydawnictwo
Skrzat poleca:

W serii
Klasyka z feniksem
Wydawnictwo
Skrzat poleca:

Adaś Niezgódka uczy się w niezwykł
szkole – w *Akademii Pana Kleksa*. Wśró
przedmiotów szkolnych są takie jak: prze
dzenie liter i kleksografia, geografii chłopc
uczą się, grając w piłkę wielkim gumowy
globusem.

Wspaniały, baśniowy świat, pełen cie
pła i humoru, kultowa postać nauczycie
– człowieka, który zna i ro
zumie swoich uczniów, dzie
li ich radości i zmartwienia, n
boi się okazać własnych sła
bości i z tolerancją podchod
do wad innych. Klasyczna po
wieść, która bawi i zachwyc
kolejne pokolenia.